한국어학의 이해

한국어학의 이해

박덕유 지음

한국문화사

학부와 대학원에서 <국어학개설>, <한국어학개론> 강의를 하면서 모어 화자를 대상으로 하든지, 외국인을 대상으로 하든지 간에 국어학 혹은 한국어학의 기저 지식은 동일하다는 점에서 이를 포괄하는 저서를 발간하기로 생각하고 집필을 시작한 지가 벌써 10년이 넘었다. 더 이상 미루어서는 안 되겠다는 一念으로 이번에 『한국어학의 이해』라는 제목으로 책을 발간하게 되었다.

본서는 모어 화자를 대상으로 하는 국어와 외국어로서의 한국어를 아우르는 학문적 가치에 초점을 맞추어 '한국어학'이라는 용어를 사용하였다. '한국어(韓國語)'는 한국인이 사용하는 언어이며, '국어'는 'national language'가 아닌 'Korean language'의 뜻이기 때문이다. 본서의 특징은 한국어학의 필요한 지식을 학습하는 데 반드시 필요한 영역 위주로만 기술하였으며, 가급적 쉽게 이해할 수 있도록 집필하였다.

21세기 들어 한류 열풍과 더불어 한국어의 위상이 높아졌다. 그러나 우리의 모국어 사용의 실태는 매우 심각하다. 의도적인 맞춤법 파괴, 지나친 말 줄임 사용, 욕설 등 저품격 언어 사용으로 치닫고 있다. 이러한 상황 속에서 모어 화자를 대상으로 하는 국어나, 외국인 및 우리 언어를 모르는 교포 등을 대상으로 하는 한국어를 보존하고 발전시키려면 보다 체계적인 한국어 지식의 규칙을 이해해야만 한다. 즉, 훈민정음의 제자원리를 기저로 한국어의 자음체계와 모음체계를 이해하고, 이들 결합에서 발견되는 음운규칙을 이해해야 한다. 또한, 유의미적 단위의 출발인 형태소와 단어를 중심으로 이루어지는 형태론과 구와 절 단위 이상의 문장을 연구하는 문장론의 제반 규칙을 학습해야 한다. 그리고 언어에서 중요한 요소는 형태론이든 문장론이든 형식에 의해 무엇을 담고 있는지를 알아야 하는데, 이 내용에 해당하는 것이 의미이므로 의미론에 대한 이해도 필요하다. 나아가 한국어의 문자와 표기에 대한 보다 구체적이고 체계적인 학습이 필요하며, 한국어의 계통과 특질은 물론 한국어의 형성과 시대 구분에 따른 국어학적 특징 등 한국어사의 이해가 필요하다.

한국어는 한국 사람이나 한국어를 필요로 하는 데에 없어서는 안 될 중요한 요소이다. 한국어학은 한국어를 대상으로 연구하는 특수언어학이며 개별언어학이다. 즉, 한국어학은 한국어의 본질과 특성, 그리고 역사적 변화 등을 연구 대상으로 하는 학문이므로 한국어를 보존하고 발전시키려면 한국어학에 대한 기본적인 지식을 체계적으로 학습해야 하며 올바르게 사용하도록 가꾸고 발전시켜 나아가야 한다. 본서는 이러한 지침서가 될 수 있기 때문에 그 자체로서 가치를 가질 것으로 기대한다. 본서가 나오기까지 여러 모로 도와준 분들께 감사드리며 아울러 흔쾌히 발간해 주신 한국문화사 김진수 사장님과 편집을 맡아준 이은하 선생님, 그리고 관계자 여러분께 진심으로 감사드린다.

2016년 2월 10일　박 덕 유

차례

- 서문 / V

제1장 언어와 한국어 ··· 1

1. 언어의 정의와 특성 ··· 1

   1.1. 언어의 정의 ··· 1

   1.2. 언어의 특성 ··· 3

   1.3. 언어의 기능 ·· 11

2. 언어와 인간 ·· 20

   2.1. 인간의 언어와 동물의 언어 ································ 20

   2.2. 언어, 사회, 문화 ·· 26

   2.3. 음성언어와 문자언어 ··· 27

3. 한국어와 한국어학 ·· 29

   3.1. 한국어의 개념과 위상 ·· 29

   3.2. 한국어학의 필요성과 연구 분야 ························ 34

제2장 한국어의 음운론 ··· 40

1. 음성학의 개념과 유형 ·· 40

   1.1. 음성의 개념과 특성 ··· 40

   1.2. 음성학의 개념과 유형 ·· 43

2. 발음기관과 조음부 ·· 45

   2.1. 발음기관 ·· 45

   2.2. 조음부 ··· 46

3. 음운론의 개념과 유형 ·································· 46

  3.1. 모음 ·· 48

  3.2. 자음 ·· 52

  3.3. 음절 ·· 56

4. 운소 ·· 57

5. 한국어의 음운 규칙 ·································· 60

  5.1. 음절의 종성 규칙 ······························ 61

  5.2. 음운의 동화 ···································· 66

  5.3. 음운의 축약과 탈락 ·························· 71

  5.4. 사잇소리 현상 ································ 72

제3장 한국어의 형태론 ······························ 74

1. 형태와 형태소 ······································ 74

  1.1. 형태 ·· 74

  1.2. 형태소의 개념과 유형 ······················ 78

2. 단어의 형성 ·· 79

  2.1. 파생어 ·· 80

  2.2. 합성어 ·· 82

3. 품사 ·· 85

  3.1. 체언 : 명사, 대명사, 수사 ·················· 85

  3.2. 관계언 : 조사 ································ 90

  3.3. 용언 : 동사, 형용사 ·························· 93

  3.4. 수식언 : 관형사, 부사 ························ 100

  3.5. 독립언 : 감탄사 ······························ 103

제4장 한국어의 문장론 ··· 104

1. 문장의 성분 ··· 104

　　1.1. 주성분 ··· 105

　　1.2. 부속성분 ·· 109

　　1.3. 독립성분 ·· 112

　　1.4. 문장의 어순 ·· 113

2. 문장의 구조 ··· 115

　　2.1. 홑문장과 겹문장 ·· 115

　　2.2. 안은 문장 ·· 116

　　2.3. 이어진 문장 ·· 119

3. 문법 요소 ··· 122

　　3.1. 문장의 종결 표현 ·· 122

　　3.2. 높임법 ··· 129

　　3.3. 시제, 상, 서법 ··· 138

　　3.4. 피동법 ··· 149

　　3.5. 사동법 ··· 152

　　3.6. 부정법 ··· 155

　　3.7. 인용 표현 ·· 159

제5장 한국어의 의미론 ··· 164

1. 의미와 의미론 ·· 164

　　1.1. 의미의 개념과 유형 ·· 164

　　1.2. 의미론의 개념과 유형 ··· 170

2. 단어 간의 의미 관계 ·· 175

　　2.1. 유의어 ··· 175

　　2.2. 반의어 ··· 178

 2.3. 다의어 ··· 180

 2.4. 동음어 ··· 182

 3. 의미변화의 개념과 원인 ······························ 182

 3.1. 의미변화의 개념 ····································· 182

 3.2. 의미변화의 원인 ····································· 183

 4. 성분분석과 의미장 ···································· 185

 4.1. 성분분석 ·· 185

 4.2. 의미장 ··· 186

제6장 한국어의 문자와 표기 ····························· 188

 1. 문자의 발달 ·· 188

 2. 정서법 ··· 192

 2.1. 중세국어의 표기법 ································· 192

 2.2. 정서법의 원칙 ······································· 199

 3. 한국어의 문자 ··· 200

 3.1. 훈민정음의 창제 원리 ···························· 200

 3.2. 한글의 특성 ·· 205

 4. 한국어의 표기 ··· 206

 4.1. 한자 차자표기 ······································· 206

 4.2. 한글 표기 ·· 208

제7장 한국어사의 이해 ································· 211

 1. 한국어의 계통과 특질 ······························ 211

 2. 한국어의 형성과 시대 구분 ························ 216

 2.1. 고대국어 ·· 217

 2.2. 고려어 ··· 218

2.3. 조선전기의 국어 ……………………………………… 219

2.4. 조선후기의 국어 ……………………………………… 255

▪ 참고문헌 ……………………………………………… 257

▪ 찾아보기 ……………………………………………… 261

제1장

언어와 한국어

1. 언어의 정의와 특성

1.1. 언어의 정의

인간의 일상생활 가운데 나타나는 언어 현상은 복합적이고 추상적인 것으로 사회적인 성격을 지닌다. 그러므로 언어는 사회생활을 하기 위한 인간의 의사소통의 수단으로 크게는 음성언어와 문자언어로 분류할 수 있다. 언어는 의사소통의 한 형태로 비한정적인 것으로 어떤 틀이나 범위의 제한 없이 무한하게 생산할 수 있는 창조적인 것이다. 인간만이 가진 고유한 능력으로서의 언어는 사물의 소리나 동물의 의사소통의 수단인 음향과는 달리 말소리와 의미 내용 사이의 대응관계를 맺어주는 규칙체계로서 실현된 현상으로서의 언어이다. 많은 사람들이 언어와 국가를 혼동하고, 인종과 문화를 언어와 관련시켜 이해하고 있다. 민족과 언어가 고유한 관계에 있다고 생각하는 사람들도 있지만, 언어는 인종이나 문화보다는 그 언어사회와 불가분의 관계성에서 습득되고 학습된다.

언어는 인간만이 갖는 고유한 특성으로 그 의미는 어떤 사회에서든지 동일하지만 이를 표현하는 형태적 기호는 각기 다른 자의성을 갖는다. 또한 언어사회에 따라 언중의 공인(共認)으로 이루어지는 사회적인 특성을 가지며, 나아가 통시적인 신생, 성장, 사멸하는 역사적인 특성을 갖는다. 그리고 문법적 규칙성을 통해 전달된다. 인간은 청각적인 음성기호를 통하여 의사를 전달하며, 인간의 이러한 행위는 객관적으로 연구 기술될 수 있다. 따라서 우리가 추구하는 언어의 정의는 말의 특성과 본질을 해명하는 중요한 내용으로 제시될 수 있는 것이다. E. Sturtevant은 그의 저서 『언어학입문』(1947)에서 "언어는 사회집단의 구성원들이 협력하고 상호작용하는 자의적인 음성기호이다."라고 정의하고 있다.[1] 이는 Saussure의 개념설(1916)이나 Ogden & Richard의 지시설(1923)에서 이미 제시하고 있는 것을 보다 체계적으로 설명하고 있는 것이다. 따라서 문법적인 체계를 첨가하여 "언어는 사회집단의 구성원들이 협력하고 상호작용하는 자의적인 음성기호의 체계이다."라고 정의할 수 있다.

---

[1] Sturtevant, Edgar H.(1947:5)은 언어를 "a system of arbitrary vocal symbols by which members of social group cooperate and interact."라고 언급하였다.

1.2. 언어의 특성

(1) 자의성

우리가 어떤 사물을 보면 그 사물의 의미를 파악하고 다시 그 개념을 전달하기 위해 이름을 만들어 사용한다. '배'라는 사물을 보고, '사람이나 물건을 싣고 물에 떠다니는 물건'이라는 개념을 파악하고 그 개념에 따른 명칭을 부여하는데, 이 명칭을 음성기호로 나타낼 수 있다. 그런데 그 명칭은 나라와 시대에 따라 다를 수도 있다. 즉, '배'라는 사물에 대한 개념적 의미는 과거에서나 언어사회가 다른 나라에서나 모두 동일하다. 단지 사물과 이름과의 관계에서 나타나는 그 명칭만 다를 뿐이다. 영어로는 'ship', 중국어로는 'chuán', 베트남어로는 'thuyên', 인도네시아로는 'Perahu' 등으로 불린다. 이는 자의적 음성기호(arbitrary vocal symbols)로 설명되는데, 일정한 음성 및 음성연쇄는 특정한 언어사회의 약속에 의해서만 일정한 의미를 갖게 되는 것으로 그 언어사회의 범위를 벗어나서는 의미 전달이 불가능하게 되는 것이다. 따라서 단어는 사물이나 생각을 나타내는 것이긴 하지만 기호와 그것이 나타내는 의미 사이에 직접적인 관계는 없다. 사물은 개념을 통해서만 이름으로 표현되고 이름은 개념을 연상해야 사물에 대한 이해에 이르게 된다. 결국 화자는 사물에서 개념, 개념에서 이름의 순서로 표현하게 되며, 청자는 이름에서 개념으로, 개념에서 사물의 순서로 이해하게 된다. 그러나 자의성은 언중의 약속을 전제하고 있다. 즉, 사회성을 전제로 하고 있으므로 개인이나 일부가 임의로 명명할 수 없는 것이다.

이러한 자의성은 감탄사나 동물의 울음소리에서도 발견할 수 있다. 한국 사람들은 어디가 조금 아플 때 '아야, 아이구'라고 표현하는데, 영국 사람들은 ouch, 프랑스 사람들은 aïe, 독일 사람들은 au, 헝가리 사람들은 jaj (거의 yoy처럼 발음함)라고 표현한다. 다시 말하면 감탄사는 신음소리처럼 모르는 사이에 본능적으로 나오는 소리가 아니라, 약정되어서 우리가 배워야 할 다른 연속음처럼 익혀서 하는 말이다. 의성어나 감탄사도 언어의 중요한 일부이긴 하지만, 그것이 전체 어휘에서 차지하는 비율은 높지 않다. 어쨌든 의성어나 감탄사까지도 음성기호와 의미와의 임의적(任意的)인 관련성을 배제할 수 없는 것이다.[2] 개 짓는 소리를 한국어로 '멍멍, 왕왕'으로 표현하지만, 영어로 bow-wow, 독일어로 wauwau (w는 [v]로 발음함), 불어로 toutou, 중국어로 'wangwang', 베트남어로 'gâugâu', 인도네시아어로 'gukguk'이라고 말한다. 이렇게 볼 때, 소리를 직접 흉내내는 의성어의 경우도 어느 정도 임의적으로 선택되는 것이며, 다분히 인습적이라는 것을 알 수 있다.

(2) 사회성

언어는 개인적인 것이 아니라 사회 대중의 약속에 의해 이루어진 객관적인 현상이다. 또한, 언어는 그 사회의 오랜 역사를 통해 생성되고 발전되어 내려온 것으로 역사적으로 물려받은 문화적 유산이다. 따라서

---

[2] 의성법은 새로운 단어를 조어(造語)하는데 특히 중요한 구실을 한다. 가령 coo와 같은 의성어를 살펴보면, 이 말은 원래 비둘기가 조그맣게 재재거리는 소리를 뜻하였는데, 발전해서 '연인들이 정답게 사랑을 속삭이는 행위'를 의미하게 되었다.

언어는 언어사회와 밀접한 관련을 가진다. 언어사회(Speech Community)는 동일한 언어로써 의사를 소통하며 공동생활을 영위하는 사회 집단인 언어공동체를 말한다. 엄밀한 의미에서 동일한 언어는 존재하지 않으며 실제로 언어는 시대, 지역, 연령, 성별, 직업, 계층 등에 따라 다양하게 변이(變異)되고, 그 범위를 규정하는 객관적인 기준이 없어 상대적인 가치를 가지는 개념이다. 이러한 변이 속에서도 공통적인 언어생활이 유지되는 것은 언중의 언어 경험에 공통적인 현상이 있기 때문이다. 언어는 음성과 의미와의 자의적인 결합으로 이루어지지만, 언어가 하나의 언어로 인정을 받으려면 의미는 음성기호로 나타내기 위해 그 사회 구성원들의 약속이 전제되어야 한다. 이는 어느 개인에 의해서나 어느 특정한 집단에 의해서도 언어가 임의로 변개(變改)되는 것을 용납하지도 않는다. 언어는 한 언어 공동체가 공유하는 것으로 언중의 사회적 약속 없이는 바뀌지 않는 일종의 불역성(不易性)의 성질을 갖는다.

(3) 역사성

언어가 어떤 사회 구성원의 약속에 의해 성립되더라도 문화의 발달과 인간 사회의 제반 요소들의 변화에 의해 언어도 끊임없이 변화한다. 새로운 말이 생겨나기도 하고, 있던 말이 변화하기도 하며 쓰이던 말이 없어지기도 한다. 이러한 언어의 특성을 역사성이라 한다. 그러나 이렇게 역사적으로 신생, 성장, 사멸하는 것도 어느 개인이나 특정한 집단에 의해 변화하는 것이 아니라, 반드시 언어사회의 구성원인 언중의 협약(協約)이 있어야 하는 것이다. 이는 언어의 가역성(可易性)의 성질을 갖고 있으면서도 또한, 언중의 공인이라는 전제가 뒷받침되

어야 하는 것이다. 이와 같은 언어의 변화는 어휘, 음운, 문법 등의
언어 전반에 걸쳐 일어나지만, 가장 두드러진 변화는 어휘의 변화다.[3]

(4) 기호성

인간이 가지고 있는 지식, 의지, 언어, 감정 등을 나타내기 위해 사
용하는 음성이나 문자 등의 기호를 언어기호라 한다. 이 언어기호는
언어의 형식인 음성과 내용인 의미와의 관계를 맺고 있는 기호로 특
정한 음의 연쇄는 특정한 의미와 연합되어 있는 기호이다. 즉, 'ㅅ+
ㅏ+ㄴ'이 연쇄된 '산[san]'이라는 음성은 '山'이라는 의미와 연합되
어 있는 기호인 것이다.

언어기호의 특성은 해당 언어사회 구성원이 공유하는 것으로 다른
언어사회 구성원이 공유하는 것과는 구별되는 표현과 전달의 도구이
다. 원칙적으로 모든 언어기호는 고유의 의미용법을 갖는 것으로 그
기호의 사용이 어떤 규칙이나 제약에 기반을 두고 있는가는 그들 기호
의 창작 과정과 그 후의 발달 과정 여하에 의해 자연스럽게 결정되어
그 사회의 관습으로 전승된 것이다. 결국 기호 체계로서의 언어는 그
사회 구성원이 공유하는 표현 전달의 도구로 이는 언어의 역사성과
사회성을 지닌다.

---

3 언어의 역사적인 변화로 신생, 성장, 사멸을 들 수 있는데, 신생의 예로 컴퓨
터, 인터넷 등을 들 수 있으며, 성장은 다시 기호변화와 의미변화로 나눌 수
있다. 전자의 예로 거우르〉거울, 곳〉곶〉꽃, 후자의 예로 어리다(어리석다
(愚) → 어리다(幼), 어엿브다(불쌍하다(憐) → 예쁘다(艶) 등을 들 수 있으며,
사멸의 예로 슈룹(우산), 나조(저녁), 즈믄(천) 등을 들 수 있다.

(5) 규칙과 체계성

언어를 이루는 음운, 단어, 문장, 담화는 각각의 구조를 가지며, 그 구조는 일정한 규칙과 체계로 짜여 있다. 여기서 규칙은 문법적으로 문장 구조는 물론 조사, 어미, 나아가 의미적으로도 타당해야 한다. '영수는 작년에 제주도에 갈 것이다', '할아버지가 온다', '청소년 축구 시합에서 일본에게 이겼다' '꽃이 밥을 먹는다' 등은 비문이다.

'짐승, 날짐승, 꿩, 장끼, 까투리'로 나뉘어 단어들이 상위와 하위의 체계를 이루고 있다. 우리가 사용하는 모든 단어들은 이와 같은 체계를 이루고 있으며, 언어의 또 다른 단위인 음운, 형태소, 문장들도 그 나름대로의 체계를 이루고 있다. 어휘는 단어들이 무의미하게 엉켜 있는 집합이 아니라 일정한 체계를 이루고 있는 구조이다. 즉, 하나의 단어는 여러 다른 단어들과 의미적으로 유기적인 관계를 맺으며 하나의 체계를 이루고 있다. 예를 들어 '하얗다-허옇다', '파랗다-퍼렇다'를 들 수 있다. 언어가 하나의 체계(system)라고 하는 것은, 음성기호와 의미와의 관계가 비록 임의적이긴 하지만, 말의 최소단위로서의 음성, 그리고 통사적 의미와 어휘적 의미를 지닌 상위단위로서의 음성 결합체가 주어진 언어에서 결합되기 위해서는 반드시 하나의 일관성이 있다는 사실이다. 따라서 언어에 있어서 음성들이 결합되는 방식과, 그들이 모형을 이루어 상위단위를 형성하는 방식은 체계적이라고 말할 수 있다. 예를 들어, 어떤 음성은 단어의 첫머리에 나타나지 못하며(어두음의 제약), 또 어떤 음성은 단어의 끝자리에 오지 못한다(어말음의 제약). 개별언어에 따라 명사는 성별, 형태별, 생물, 무생물의 구별에 따라 여러 가지로 분류되며, 동사는 시제(현재, 과거, 미래)나 시상(時

相)(완료, 미완료)에 따라 달리 선택되기도 한다. 어순상의 특징을 보아도 인구어는 산열문(loose order sentence)의 어순구조, 즉 S+V+O 인데, 한국어는 도미문(periodic order sentence)의 어순구조, 즉 S+O +V 여서 인구어와는 상이한 특징을 보이고 있다.

이 모든 것은 한 가지의 기본적인 원리로 요약될 수 있다. 즉, 각 언어는 자체의 체계를 지니므로 그 언어음과 언어음이 큰 단위로 결합하는 방식에 있어서 질서와 일관성 그리고 모형을 보이고 있다는 사실이다. Sturtevant(1947)이 언어를 정의한 구절 가운데, '사회적 집단의 구성원들이 서로 협동하고 상호작용한다'는 내용은 언어의 사회적 기능을 지적한 것으로, 한 개인의 마음속에 가지고 있는 생각이 다른 사람에게 전달되지 않으면 협력관계나 상호작용은 이루어질 수 없는 것이다. 이러한 사실은 성경에 나오는 바벨탑의 이야기 속에 잘 나타나 있다. 사람들이 바벨탑을 하늘에 닿도록 높이 쌓아 올려, 인간의 위대한 힘을 증명하려고 나선 인간의 부질없는 자만심을 벌하기 위하여, 신은 인간언어의 혼란으로 상호 의미소통을 못하게 하여 바벨탑의 성축을 불가능하게 했다. 이는, 인간의 언어생활이 언중이라고 하는 언어사회 구성원의 일치된 언어기호 체계를 통해서 의사소통이 가능함을 말하는 것이다.

(6) 초월성

어제 고양이가 뒷골목에서 밤을 지새우고 돌아와 발 언저리에서 '야옹'하고 울 때, 고양이가 무엇을 전달하려고 했는지 이해할 것이다. 고양이에게 어제 저녁 어디서 무엇을 했느냐고 물어보아도 고양이는 마찬가지로 '야옹' 할 것이다. 동물의 전달은 오로지 그 순간, 그 장소, 바로 지금에 한해서만 사용된다. 예를 들어 새는 위험이 직접 다가왔을 때 위험을 알리기 위해 소리를 지른다. 그러나 새는 시간상이나 공간상으로 떨어져 있는 위험을 알릴 수는 없다. 이에 비해 인간은 과거와 미래에 대하여, 그리고 발화의 장소 이외의 것에 대하여 언급할 수 있는데 이를 초월성이라 한다.

벌의 경우는 약간의 초월성이 있다고 한다. 복잡한 춤을 춤으로써 어느 정도 떨어져 있는 지점을 가리키는 능력(원을 그리는 춤, 꼬리를 흔드는 춤, 춤의 회전 속도 등)이 있다고 한다. 그러나 이는 매우 제한적인 형식의 초월성이다. 인간은 존재가 불확실한 사물이나 장소에 대해서도 말할 수 있다. 그래서 미래의 가능한 세계를 기술할 수도 있다.

(7) 창조성

새로운 사태가 출현하거나 새로운 사물을 기술할 필요성이 생겼을 때, 언어사용자는 그 언어의 능력을 구사하여 새로운 표현이나 새로운 문장을 산출하는 것으로 일종의 창조성을 갖는다. 언어를 가지고 있는 인간은 언어에도 이를 사용하여 만든 발화의 수가 무한하기에 무한성이라고도 한다. 동물들의 경우는 제한되어 있다. 매미는 4가지의 신호, 원숭이는 36가지의 소리(여기에는 구토하는 소리나 재채기 소리까지 포함)가 있다고는 하지만 동물에게는 새로운 신호를 만들어 낼 능력이 없다. 일벌의 경우는 어느 정도 시간과 공간을 초월한다고 하지만 그것은 어디까지나 수평적 거리에만 해당되고 무한한 거리는 역시 제한된다. Karl von Frisch에 의하면 "꿀벌의 언어 중에는 '상(up)'이라는 단어가 없다.”고 했다. 즉, 벌들에게는 수평적 거리는 인지하지마는 '上'이라는 수직적 거리의 단어를 만들어 낼 능력이 없는 것이다. 동물의 신호에는 고정적 지시 대상(fixed reference)이라고 이르는 특성이 있을 뿐이다.

(8) 이중성

언어라고 하는 것은 동시에 두 레벨 또는 두 계층으로 이루어지는데 이 특성을 이중성(duality) 또는 이중분절(double articulation)이라 한다. 예를 들어 n,b,i 와 같은 음이 있다고 할 때, b+i+n 이라고 하면 bin(상자)가 되고, n+i+b로 결합하면 nib(부리)가 된다. 따라서 하나의 레벨에는 서로 다른 음이 있고, 또 하나의 레벨에서는 서로 다른 의미를 갖는다. 이와 같은 레벨의 이중성은 실제로 인간언어의 경제적 특징의 하나이다. 그 이유는 한 언어에서 사용되는 서로 다른 음소는 모두 합해도 그 수는 많지 않으며, 그것들을 다양하게 결합하면 그 결과 여러 가지 단어가 만들어지게 되어 그 단어의 의미는 모두 달라지기 때문이다. 이에 비해 동물은 그렇지 못하다. 예를 들어 개는 낮은 신음소리 woof를 낼 수 있으나, 개 울음소리의 레파토리의 특징에서 w와 oo, 그리고 f가 독립된 발음의 요소로 추출될 것이라고는 생각되지 않는다. 만일 개가 두 가지의 레벨(이중성)로 인하여 소리를 낼 수 있으면, oowf, foow와 같은 소리를 내어, 그들이 각각 의미가 다른 것으로 나타나야 하는데, 실제로 동물의 소리는 그러한 사실이 없다.

(9) 문화적 전승

　부모에게 유전적으로 갈색의 눈과 검은 머리를 이어받을 수는 있지만, 언어를 유전적으로 이어받을 수는 없다. 언어를 습득하는 것은 문화적 공동체 속에서 다른 화자를 통하여 습득되는 것이지, 부모의 유전자에서가 아니다. 중국어를 사용하는 중국 부모에게서 태어난 아이가 생후 즉시 미국으로 데려가 영어를 사용하는 사람들에게 양육되었다면, 이 아이의 신체적 특징은 부모에게서 받았지만 말은 영어를 사용한다. 이처럼 언어가 한 세대에서 다음 세대로 이어지는 과정을 문화적 전승이라 한다. 인간은 태어나면서부터 선득적으로 언어를 습득할 수 있는 소질이 있지만 어느 특정언어를 사용하여 발화하는 능력을 갖는 것은 아니다. 동물의 신호전달의 일반적 양식은, 사용되는 신호가 본능적인 것이지 습득된 것이 아니라는 사실이다. 설사 새가 울음소리를 학습한다고 하지만 그것은 어디까지나 훈련에 의한 것이지 습득 능력에 의한 것이 아니다. 그 증거로 그 새를 다른 환경의 집단에 옮겨 놓으면 그 울음소리는 이상한 것이 되고 만다.[4]

1.3. 언어의 기능

[1] 언어의 중심 기능

　언어는 화자와 청자 간의 의사소통의 수단으로 화자의 생각을 상대방에게 알리는 전달 기능을 가진 음성기호 체계이다. 따라서 인간의

---

[4] George Yule(1985:19-22) 참조.

언어 활동은 화자와 청자가 말을 주고받는 행위이다. 화자가 상대방에게 어떤 내용을 전달하기 위해서는 우선 사물을 보고, 그 사물의 의미를 파악한 다음 머릿속에 청각영상으로 각인시켜 발음기관을 통해 상대방에게 전달한다. 이때, 발화된 내용을 음성 기호화하게 된다. Saussure(1916)는 『Course de linguistique générale』에서 개념(concept)과 청각영상(image acoustique)의 결합, 즉 signifié(記義)와 signifiant (記標)의 결합으로 파악하였다. 즉, '나무'라는 사물을 보고 이를 청자에게 전달할 때에는 그 사물의 특성에 다른 것으로 나무의 의미(木)를 파악한 후에 이를 음성기호 [namu]로 기호화 하게 된다. 그러면 청자는 화자의 발화과정과 반대적인 순서로 받아들이는데, 음성으로 전달된 언어기호인 [namu]를 귀로 들어 해독하여 머릿속에서 '나무(木)'의 의미로 이해하게 된다. 이 음성기호와 의미의 관계는 자의적인 것으로 '나무'에 대한 '木'의 개념을 가정할 수 있으나 일종의 관계 개념으로서의 의미로 인정하게 된다. 한편, Ogden-Richards(1923)는 『The Meaning of Meaning』에서 이들의 관계를 <basic triangle>(기본 삼각형)로서 설명하였다. 즉, 사물을 보고 우선 그 개념을 파악한 후에 이름을 음성기호로 명명하게 되는데, 이때 사물과 이름과의 관계는 자의적인 관계로 설명하였다. 즉, '사람'[人]이라는 뜻을 음성기호 [sa:ram]으로 표현하는데, 반드시 [sa:ram]만이 되는 것이 아니라, [rein], [hito], [mæn] 등 다양하게 기호화 될 수 있다는 것이다. 이는 음성기호가 언어사회와 밀접한 관련을 갖기 때문이다. 결국 의사소통은 화자와 청자 그리고 메시지를 포함하는 모든 활동이 된다. 이와 같이 화자와 청자 간의 의사소통의 전달을 언어의 중심기능이라고 할 수 있다.

[2] 언어의 여러 기능

K. Bühler(1933)는 그의 저서 『언어학원론』에서 언어의 표출, 호소, 진술이라는 세 가지 기능을 제시했다.[5] 표출은 발화자, 호소는 청취자, 진술은 사물에 관계된다. 이 가운데서 가장 중요한 기능은 진술기능이다. 사물을 인식하고 서술하는 이 진술기능은 언어를 특징짓는 최대의 기능이다. 이것은 전달기능의 분화를 나타낸 것이다. R, Jakopson(1960)은 그의 논문 "언어학과 시학"에서 언어의 기능을 여러 가지로 분류하여 설명하고 있다.[6] 이에 그가 제시한 언어의 기능을 중심으로 살펴보기로 한다.

(1) 지시적 정보기능

사물에 대한 인식에 따라 개념이 성립되고, 이 개념들은 제각기 이름(명칭)을 갖는다. '인력'이라는 현상 자체는 태초부터 존재했던 현상이지만, 뉴톤이 만유인력의 원리를 발견하기 이전에는 인력이라는 개념이 존재하면서 명칭이 생기게 된다. 이것은 명칭이 곧 사물을 나타내는 것이 아니고 개념을 거쳐서 실재의 사물과 연결됨을 뜻한다.

'과일'이라는 명칭은 우리에게 그에 상응하는 개념을 불러일으키며, 그 개념을 통하여 인식된 구체적인 과일들(사과, 배, 감 등)에 도달하게 된다. 이와 같이 명칭, 개념, 사물 사이의 관계는 가역적(可逆的) 작용관계를 나타내는 것으로, 남의 말을 들을 때(명칭 → 개념 → 사물)

---

5 K. Bühler(1933) 참조.
6 R. Jakobson(1960) 참조.

와 상대방에게 말을 할 때(사물 → 개념 → 명칭)에 이러한 관계가 이루어진다. 전자는 청취한 어형으로 개념을 환기하고, 개념은 사물을 지시한다. 후자는 사물에 접하여 그 개념을 통해 명칭의 인지에 이르는 과정이다.

이와 같이 사물이나 현상 또는 개념 등을 '말'이라고 하는 음성기호의 체계로써 전달하는 언어의 기능을 지시적(指示的) 기능(referential function) 또는 정보적(情報的) 기능(informative fuction)이라 한다. 지시적 기능은 언어에 있어서 가장 기본이 되는 기능이다. 그러므로 이 기능을 언어의 1차적 기능이라고 이른다. 순수 언어학에서 말하는 언어의 기능은 지시적 기능뿐이고 그 외는 2차적 기능으로 주변적 기능에 속한다. 상대방에 전달하는 내용, 즉 메시지의 진술적, 명제적 내용을 말한다. 예를 들면, "비가 온다."라는 문장과 "야! 비가 온다.", "제기랄, 또 비가 오네."라는 문장은 전달하고자 하는 내용이 다르다. 전자는 진술적 명제적 내용이고, 후자는 화자의 감정 상태를 나타낸 정서적 내용이다. 언어의 지시적 기능은 전자와 같이 명제적 내용을 전달하는 정보적 기능으로 언어기능의 핵심은 지시적 정보기능이다.

(2) 정서적 표현기능

말하는 화자의 감정 상태나 어띤 일에 대한 태도 등을 나타내는 언어의 기능을 정서적(情緒的) 기능(emotive function)이라고 한다. 표현 내용이 참된 것이든 위장된 것이든 간에 자기가 말하는 내용에 대한 화자의 태도를 나타내는 표현기능(expressive)이다. 지시적 기능이 주제에 초점을 둔다면, 표현기능은 화자에 초점을 둔다. 지시적 기능은 개념적 의미를 중시하지만, 표현기능은 감정적 의미를 중시함으로써 화자의 감정과 태도를 나타내는 데 사용되는 기능이다. "눈이 내린다."는 명제적 내용을 전달하는 지시적 기능에 속하지만, "야! 눈이 내린다."는 화자의 감정과 태도가 포함된 정서적 기능이다. 욕지거리 말이나 감탄의 말은 이 기능의 대표적인 예다. 이와 같이 정서적 기능의 표현에는 감탄, 독백, 자문자답, 욕설 등이 있고, 정의적(情意的) 음장(音長)을 사용하기도 한다. '큰 바위'를 '커어다란 바위'로 표현하거나, '멀리'를 '머얼리'로 표현해서 더 크고, 더 멀다는 사실을 발음으로 나타내 보이는 것이 이에 속한다.

정서적 표현이 강조된 발화에서는 흔히 사용하지 않는 발음을 하여 화자의 감정을 표현하기도 한다. 혀를 차며 안타까워할 때에 내는 '쯧쯧' 소리는, 다른 언어를 발음할 때 공기를 밖으로 내보내는 방출음(ejectives)과는 달리, 공기를 안으로 들어가게 하여 입속으로 흡입하여 내는 일종의 흡착음(ingressives)인 것이다. 모음이 없는 [hmm] 또는 [hm]을 사용하거나, 남을 업신여기거나 귀여운 느낌을 나타낼 때 '녀석'이라고 발음하는 것도 이와 비슷한 경우이다.

(3) 지령적 욕구기능

화자의 전달된 내용이 청자의 감정·행동·이해 등에 영향을 미치는 언어의 기능을 지령적(指令的) 기능(directive function) 또는 욕구적(欲求的) 기능(conative function)이라 이른다. 지시적 기능이 주제에 초점을 두고, 표현적 기능이 화자에 초점을 둔다면, 욕구적 기능은 청자에 초점을 둔 것으로 청자에게 명령·요청·부탁 등으로 행동에 영향을 미치거나 질문 형식으로 응답을 바라는 언어행위에 따른 기능이다.

인간의 언어행위는 어느 경우이든 화자의 요구를 수반하는 자극과 반응의 현상(S→R)이기 때문에 심지어는 독백까지도 청자의 반응을 기대하는 것이 보통이다. "날씨가 좋구나" 하고 창밖을 내다보며 중얼거릴 때에도 은연중 곁에 있는 사람이 어떤 반응하기를 기대하게 된다. "목이 마르구나." 라는 말은 물을 떠오는 반응을 기대한다. 그러나 이러한 간접적인 명령에 대해 청자가 반응을 하지 않을 경우에는 "물 떠와라."처럼 청자에 대하여 화자의 욕구를 강하게 드러내는 명령문을 사용한다. 명령문은 화자의 청자에 대한 욕구가 응집된 언어표현이다.

(4) 친교적 상황기능

언어의 기능에는 1차적 기능인 정보적 기능과는 정반대로 아무 내용없이 예의적이며 형식적으로 사용되는 표현이 있다. 두 사람이 만났을 때 "안녕하십니까?", "어디 가세요?", "식사 하셨어요?", "날씨가 참 좋습니다.", "화창한 날씨군요", 또는 영어에서 두 사람이 만나 "How are you?", "Fine, Thank you. And you?", "Fine, Thank you." 라고 하는 표현은 원래의 뜻은 없어지고 순전히 인사말로 예의적으로 사용하는 경우이다.

이와 같이 대화자 사이의 사회적 관계 또는 유대를 확인하고, 대화의 길을 터주며, 사회적 교환의 분위기를 조정해 주는 언어의 기능을 친교적(親交的) 기능(phatic fynction)이라고 한다. phatic의 어원은 그리스어 phatos (verbal togetherness)에서 유래된 말로, 영국의 인류학자 Bronislaw Malinowski가 phatic communication이라고 명명한 데서 비롯된 말이다.

이 친교적 기능은 보통 사람들이 대수롭게 여기지 않는 기능이다. 무슨 말을 하느냐가 중요한 것이 아니라 말을 한다는 그 자체의 사실이 중요하다. 언어의 기능면에서 의사소통의 업무가 최하위로 떨어진다는 점에서 메시지를 전달하려는 시적(詩的) 기능과는 가장 거리가 멀다 하겠다. 그러나 이 친교적 기능은 대화의 길을 항상 열어놓고 사회적 관계를 좋게 만들어 유지하는 기능이므로 인간의 언어생활에서 매우 중요한 기능을 하며, 특히 사회언어학에서 중요한 기능으로 다루어지고 있다.

친교적 기능의 표현은 앞에서 예로 든 인사말 외에도 대중 앞에서 연설할 때 머리말로 사용하는 "친애하는…"이나 영문 편지에서 'Dear Mr.…'로 시작하는 'Dear'나, 편지의 말미에 흔히 사용하는 'Sincerely yours' 등도 이 기능에 속하는 언어표현이다. "글세 말입니다. 그 때 말입니다. 그 사람이 거기에 왔단 말입니다."에서 '말입니다'나, "저는요, 그때요, 누군가가요, 그런 말을 한 걸로 알고 있는데요."에서 '요'와 같이 말하는 내용을 일부러 중단시키며, 자기의 발화 내용에 대한 상대방의 주의를 환기시키는 언어표현이다.

C. J. Fillmore(1972)는 상황적(狀況的) 기능(situational function)이라는 용어를 사용하고 있는데, 이 기능은 선택 사용된 언어표현이 사회적 상황이나 대화자 사이의 사회적 관계를 나타내 주는 기능이다. 다음의 대화는 노년기에 든 두 남자 친구끼리 격식을 갖출 필요가 없는 상황에서 이야기하고 있음을 나타낸 말이다.

"야, 이놈아 재촉하지 말아. 왜 내가 보면 사진이 구멍이 난다더냐?"

이와 같은 말씨는 욕구적 기능과는 달리, 그 작용 방향이 일방적이 아닌 것이 특징이다.

(5) 관어적 기능

발화의 내용이 언어기호 자체에 관한 것을 지시하는 경우가 있는데, 이와 같이 언어표현 자체에 대하여 설명하는 언어의 기능을 관어적(關語的) 기능(meta-lingual function) 또는 어휘적(語彙的) 기능(lexical function)이라고 한다.

> "까투리는 암꿩이다."
> "내 말의 뜻은······", "What I meant saying that was·····"

위 예문에서 까투리를 지시하기 위하여 쓰이는 명칭과 개념의 복합체로서의 언어기호 '까투리'에 대하여 설명하고 있다. 이러한 설명 외에 상대방에게 어떤 의미를 부연 설명하거나 앞서 한 말에 대하여 표현을 달리 바꾸어 말하는 환언 등을 관어적 기능이라고 한다.

(6) 시적 심미기능

음성기호로 청자나, 문자기호로 독사가 전달 내용을 감상할 수 있도록 언어표현을 선택하는 기능을 언어의 시적(詩的) 기능(poetic function) 또는 심미적(審美的) 기능(aesthetic function)이라고 한다. 이 기능은 표현적 기능의 성격을 지녔기 때문에 정서적 표현기능에 포함시키기도 한다. 그런데 표현기능이 언어의 시적 사용을 포함한다고 종종 생각하고 있으나, 이 견해는 시가 시인의 감정을 발산 표현한다는 생각에서 발상된 것으로 시는 시 자체의 별도의 미적 기능을 가지고 있다는 것이다. 시인이 '슬픔'의 주제로 시를 쓸 때 단순히 "나는 슬프다."라고 기술하는 것이 아니라 시적 운율과 형상화를 통해 "물 먹은 별이 반짝 보석처럼 박힌다."처럼 주제와 정서 모두를 포함하는 전언(傳言, message)에 해당되는 기능이다. 언어의 시적 기능은 발화 그 자체에 그 초점이 있고, 순수하게 발화 그 자체로부터 우러나오는 언어기능이다. 이 기능은 운율적 조화를 중히 여기는 기능이다. 그러나 시적 기능이 시구에만 국한되어 있는 것은 아니다. 언어 일반에 걸친 중요한 속성인 것이다.

언어기능의 분류는 다음과 같은 특징을 가지고 있는데, 그것은 의사소통의 상황에서 어느 경우에나 나타나는 다섯 가지(관어적 기능 제외) 필수적인 특질과 잘 맞아 들어간다. 그 특징은 (가) 주제, (나) 발화자(작가), (다) 청취자(청자·독자), (라) 이들 사이의 소통 경로, (마) 언어적 전언(傳言) 자체 등이다. 이것을 언어의 기능과 하나씩 대응시켜 도표로 나타내 보이면 다음과 같다.

언어기능의 유형과 특징

기능	지향
지시적(정보적)	주제
정서적(표현적)	화자(작가)
욕구적(지령적)	청자(독자)
친교적(상황적)	소통경로
시적(미적)	전언

화자(작가) → 경로(전언) → 청자(독자)

화제

기능: 표현 친교 정보 미적 지령

그러나 언어를 기능면으로 볼 때 한가지의 발화행위(speech act)에 여러 가지 기능이 같이 따르는 경우가 있으며, 그러한 경우도 어떠한 기능이 주가 되고 어느 기능이 부수적으로 작용하기도 한다. 이와 같이 언어의 여러 기능은 따로따로 존재하는 것이 아니고, 여러 기능이 혼합되어 나타나는 것이 원칙이다. 다만 발화의 성질에 따라 기능 상호간의 층위 서열이 달라질 뿐이다. "날씨 참 좋은데요!" 라는 말을 그 기능면으로 볼 때, 두 사람이 아침에 만나 그 중 한 사람이 인사말로 했으면 이 말은 친교기능에 속할 것이며, 이러한 예의적인 인사를 필요로 하지 않는 친한 사이에서 이 말을 했다면 이것은 정서적 표현 기능이 작용한 것으로 볼 수 있다. 그리고 아직 침실에서 자고 있는 사람한테 이 말을 했으면 이것은 지시적 정보기능이 작용된 것으로 볼 수 있다. 또 날씨가 좋으면 공원에 데리고 가겠다는 약속이 있었다든지, 그런 약속이 있었다 하더라도 화자의 마음속에 가고 싶은 생각이 있을 경우라면, "공원에 갑시다"와 같이 요청하는 욕구적 기능이 작용한 것으로 볼 수 있다.

2. 언어와 인간

2.1. 인간의 언어와 동물의 언어

인간이 언어를 본격적으로 사용하게 된 것은 지금으로부터 약 10만 년 전으로 추정할 수 있다. 인간이 다른 동물과 구별되는 두드러진 특징 중의 하나는 인간만이 언어를 구사할 수 있다는 점이다. 인간 유전자의 98%를 닮은 침팬지도 언어를 구사할 수 있는 능력이 없다고 한다. 미국의 유명한 언어학자 Chomsky는 컴퓨터에 내장된 하드웨어처럼 인간은 유전적으로 언어습득 능력을 갖고 태어난다고 했다. 스웨덴의 생물학자 Linne는 인간을 '언어적 인간(Homo loquens)'이라고 하였으며, 독일의 철학자 Heidegger는 언어를 '존재의 집'이라고 하여 언어의 주택 속에 인간이 살고 있다고 설명하였다. 그리고 독일의 철학자 Cassirer는 "인간은 언어가 형성해주는 현실만 알고 있다."고 함으로써 인간과 언어의 중요 관계에 대해서 설명했다.

  인간의 언어는 복잡하고 추상적인 것으로 무한한 언어를 창조해 낼 수 있다는 변형생성문법론을 창시한 Chomsky는 이를 인간의 언어에만 나타나는 회귀성(回歸性, recursion)이라고 규정했다. 또한, 하버드 대학의 Hauser 교수는 이런 회귀성이 진화 과정에서 숫자 사용이나 방향설정과 같은 기능을 잘 수행하기 위한 필요성 때문에 생겨났다는 이론을 제시했다. 예를 들어 숫자를 더 잘 다루고, 먹이가 있는 장소를 찾거나 짝짓기를 하는 장소를 잘 찾는 동물이 생존 능력이 뛰어날 것이며 그런 과정에서 회귀성을 갖춘 인간의 언어가 생겨났다는 것이다. 2001년에 영국 옥스퍼드대학의 모나코 박사팀은 정확한 발음을 내기 어렵고, 말소리의 구별과 문장을 이해하거나 문법적인 면을 판단하는 데에 장애가 있는 가계 구성원들의 유전자를 면밀히 조사한 결과 'FOXP2'라는 유전자에 이상이 있어서 이런 언어 장애가 발생한다는 연구결과를 발표했다. 그는 이 가계의 언어 장애자 14명에게서 'FOXP2' 유전자에 있는 715개의 아미노산 중 1개가 일반인과 다른 것임을 밝혀 냈다. 또한, 인간과 침팬지의 언어유전자(FOXP2)를 비교한 결과 아래와 같이 2개(N-T;S-T)만 다르다는 것을 2002년에 독일 막스 플랑크 연구소의 파보 박사팀이 발견했다.

인 간 → MMQ......SS**N**TS......VL**S**AR......LSEDLE
침팬지 → MMQ......SS**T**TS......VL**T**AR......LSEDLE

파보 박사팀은 이처럼 아주 적은 유전자의 차이가 언어 능력을 결정 지을 수 있다고 추정한 것이다.

호모 로쿠엔스(Homo loquens)는 높은 차원의 특징으로서 '언어를 사용하는 인간'이라는 뜻의 라틴어다. 사람의 대뇌에는 말을 하도록 작용하는 중추신경이 있다. 이 신경의 작용으로 발음기관을 움직여서 발음하고 또 청각신경(聽覺神經)과 대뇌를 통하여 타인의 언어를 이 해하는 것이다. 물론 다른 동물도 자신의 소리로써 그 나름의 신호를 교환한다. 침팬지는 수십 종의 소리를 내어 동료를 부르거나 탓하며, 경계, 공포, 고통, 경악, 기쁨, 슬픔 등을 표현한다고 한다. 그러나 이것 은 감정의 직접적 표현에 불과하다.

사람의 언어는 감탄사가 아니라 세분된 음성으로 의미 있는 단어를 이루고, 이 단어들을 일정한 법칙에 따라 운용함으로써 복잡한 의미를 자유롭게 표현하는 상징적인 것이다. 인간은 이 언어를 사용함으로써 자기의 경험을 타인에게 전달할 뿐만 아니라, 타인의 경험을 제삼자에 게 전달할 수 있다. 이러한 소통은 기억을 낳게 하고, 또한 언어를 통해 서 복잡한 사상(事象)을 추상화할 수 있고, 이에 따라 사고능력을 발달 시킬 수 있다. 인간과 가장 유사한 침팬지와의 유전자 DNA의 차이는 거의 없다고 한다. DNA 구조가 98.7%가 동일하다고 한다. 단지 1.3%의 차이만 나는데, 이 차이 때문에 인간은 사고능력을 발달시키며 만물의 영장으로 살아가는 것이다.

언어는 인간정신에 의하여 개발된 가장 귀하고 거대한 노작(勞作)이며, 인간행위의 가장 특징적인 형태이기도 하다. 그러나 언어는 우리의 일상생활에서 항상 사용하고 있는 것이지만, 너무 흔한 것이기 때문에 우리는 그것에 관하여 탐구하려 들지 않는다. 마치 공기를 호흡하고 있으면서 공기의 존재와 가치에 대하여 관심을 갖지 않는 것과 같다. 항상 말을 하고 있으면서도 생활에 무관심하다. 이와 같이 어떤 사상이 우리에게 너무 친숙할 때 그것을 옳게 인식하기가 어려운 것이다. 마치 바닷가에서 사는 사람들이 파도 소리에 익숙해 있어서 그것을 들을 수 없는 것과 같다.

또한 언어를 '걷는 일'과 같이 자명한 것으로 생각하기도 한다. 그러나 걷는 일은 사람에게 있어서 선천적으로 유기적이고 생리적인 데 반하여 언어의 습득은 후천적으로 얻게 된 문화적 기능이다. 미국의 인류학자 E. Sapir의 말과 같이, 걸음을 배우는 것은 선배들이나 이웃 사람들에 의하여 걷는 기술을 배우는 것이 아니라 정상적인 사람이면 누구나 자기의 유기적 생체가 출생시부터 걸을 수 있는 모든 신경작용의 에너지와 근육 적응을 받아들일 수 있는 조건과 태도가 갖추어져 있기 때문이다. 이러한 특수한 활동은 육체적으로 건전한 개인에게 선천적으로 타고난 것이다. 한편, 언어는 한 개인이 태어난 특정 사회, 즉 그가 생활하고 있는 주위 사람들에게서 습득되고 전승되는 것이라고 말할 수 있다. 이 두 가지의 양면 활동, 즉 '걸음'이 '언어습득'과 다르다는 근본적인 차이는 어린 아이들을 자기가 태어난 환경으로부터 전혀 다른 언어 환경으로 이주시켜 보면 분명해진다. 아마도 새로운 환경에도 불구하고 그들의 걸음은 옛날부터 걸어온 그대로의 버릇으로 발육되어 걸을 것이다. 그러나 언어의 습득은 자기가 태어난 환경과는 전혀 다른 양식으로 배우게 될 것이다.

언어습득은 사람의 생존에 필요한 것이 아니라 인간 생활에 반드시 필요한 것이다. 어떠한 인간의 활동이든지 언어에 의존하지 않은 것은 거의 없다. 따라서 실제적으로 우리가 활동하는 모든 일에서 언어를 사용한다. 인간의 사고가 언어 없이는 불가능하다고 생각하는 사람들도 있다. 넓은 의미에서 언어는 목소리, 몸짓, 신호(signals), 문자기호 등을 이용하여 하나의 인간 내심에서 다른 인간 내심으로 의미를 전달하는 수단이다. 그러므로 모든 인간 활동 중에서 가장 보편적이고 널리 보급된 것이 바로 언어로, 영국의 사학자 H. Goad가 말한 바와 같이 말은 인간 최고의 능력이며, 사람이 다른 동물과 구별되는 유일한 것이다.

사실상 사람이 다른 동물과 구별되는 것은 소리를 낼 수 있는 능력이 아니라, 그 소리와 의미를 유의적(有意的)으로 결합시킬 수 있는 인간의 능력이다. 그리하여 서로의 상호이해를 가능하게 하고, 한 인간 내심의 사고가 다른 인간 내심으로 옮겨지는 실제의 전이가 성립되는 것이다.

훈련을 받은 작은 앵무새가 "새도 말을 해요"와 같은 문장의 말을 제법 음고(音高, pitch)와 억양을 어울리게 나타내어 표현했다고 하여 앵무새가 언어를 사용한다고 말하지는 않는다. 왜냐하면 앵무새가 사람의 말을 단지 모방했을 뿐이기 때문이다. 사람을 제외한 다른 동물에게는 언어활동을 수행할 능력이 없다. 일련의 낱말이 모여서 일정한 의미를 이루는 복잡한 연결체의 '조직화된 소리'를 내지 못한다. 앵무새의 소리는 조직화된 사고에 의한 동기에서 나온 것이 아니라 무의식적인 모방의 소리에 불과한 것이다.

따라서 동물들의 의사소통 신호는 경직된 고정형(固定型, stereotype)을 띠고 있어서 인간 언어의 창조성과는 구별된다. 동물들의 신호에는 청각적 신호와 시각적 신호 그리고 후각적 신호 등이 있다. 소라게는 집게 다리를 뻗침으로써 공격 자세를 취하여 다른 게나 물오리를 쫓아 버린다. 그리고 큰가시고기는 자기의 영토를 침범하는 수놈의 붉은 배와 목덜미를 보기만 하면 무서운 공격력을 발휘하여 자기의 영토를 방어한다.

이와 같은 시각적 신호와는 달리 새들은 소리를 내어 날아 도망하라는 신호나 자기의 짝을 부르는 소리를 낸다. 새들이 짝을 고르고 구애하고 어미의 의무를 수행하는 '소리의 신호'는 대개 소리의 급작스러운 높낮이나 진폭의 변화를 가져온다.

한편, 불개미는 먹이 있는 곳을 발견하면 집으로 돌아올 때 냄새 나는 화학물질을 내뿜어 자취를 남겨, 다른 개미들이 찾아갈 수 있도록 후각적 신호를 사용한다. 그런데 꿀벌들의 의사소통 과정은 매우 복잡하다. 꿀벌은 먹이의 위치를 벌통 안에서 춤을 추는 '회전 속도'로 알린다. 먼 거리에 먹이가 있을 경우, 멀면 멀수록 이에 비례하여 춤추는 회전의 빈도가 낮다. 그리고 먹이의 방향은 태양의 위치에 비추어 벌춤의 직선 부분의 각도에 의하여 표시된다. 그러나 꿀벌의 신호도 먹이, 거리, 방향 등을 지시하는 단순한 고정형 신호에 불과한 것이다.

2.2. 언어, 사회, 문화

언어는 인간의 사고 행위와 밀접한 관련을 지닌다. 인간의 지적 능력이 발달하게 된 것은 언어를 사용할 수 있었기 때문이다. 결국 인간은 언어를 도구로 하여 생각을 하며, 그 결과 사고력과 인지 능력이 점점 발달한다고 말할 수 있다. 인간이 사물을 인식하거나 판단할 때 언어가 커다란 영향을 끼친다.

훔볼트는 한 국민의 사고방식이나 세계관이 다른 국민과 차이가 있는 이유는, 그 국민이 사용하는 언어구조가 다른 국민이 사용하는 언어구조와 차이가 있기 때문이라 주장했다. 이는 '한 민족의 언어는 곧 그 민족의 정신'이라는 말이다. 사물의 공통성을 추출하고 하나의 범주로 추상화하여 받아들이는 능력은 언어능력의 가장 중요한 특징이다. 결국 인간은 언어를 도구로 하여 생각을 하며, 그 결과 사고력과 인지 능력이 점점 발달한다고 할 수 있다.

인간은 사회적 동물이다. 언어를 의사전달의 도구로 하여 사회적 관계를 맺는다. 따라서 언어는 사람이 사는 사회의 구조와 밀접한 관련이 있다. 따라서 언어는 사람이 살아가는 사회구조와 떼려야 뗄 수 없는 관계를 맺는다. 언어는 사회의 구조와 지방에 따라 다르다. 즉, 사회적인 신분, 지위, 학력, 연령, 경제력, 직업 등에 따라 언어는 달라지며, 강원도, 충청도, 경상도, 전라도, 제주도, 평안도, 함경도 등 지방에 따라 다르다. 또한, 사회적 환경이나 상황에 따라서도 억양, 어휘, 문장 유형 등이 다양하게 나타난다. 그리고 사회적 계층(양반과 상인의 언어), 직업이나 집단(군대언어, 심마니말 등), 성별(여성어, 남성어),

세대차(노인층의 언어, 청소년의 언어)에 따라서도 언어는 다르게 나타난다.

인간의 문화생활을 지탱해주는 중요한 요소인 언어는 다른 양식의 문화를 창조하고 축적하는 수단으로 사용된다. 언어는 그 나라 사람들의 삶의 모습, 즉 문화가 반영되며, 특히 어휘에 반영된다. 에스키모인의 말은 '눈'에 관한 단어가 매우 다양하고, 오스트레일리아 원주민의 말은 바다에 둘러싸였으므로 '모래'에 관한 단어가 발달하였다. 한국어의 경우 고유 어휘로 '가야금, 삿갓, 간장, 김치, 아리랑, 온돌, 장아찌, 족두리, 옷고름' 등을 들 수 있으며, 농경 중심의 사회였기에 '따비, 괭이, 쇠스랑, 삽, 종가래, 가래, 헹가래, 호미, 낫, 도끼, 고무래, 두레박, 용두레, 무자위, 도리깨, 쟁기, 멍에, 보습, 써레, 길마, 옹구, 망구, 꼴망태' 등 농사 용어로 우리만의 고유한 문화를 반영한다.

2.3. 음성언어와 문자언어

언어는 자기의 의사를 상대방에게 알리는 전달기능을 가진 음성기호 체계로 의사 전달의 방법에는 비언어적 방법과 언어적 방법이 있다. 전자는 다시 동작언어(gesture language)와 신호언어(signal language)로 나뉘는데, 동작언어에는 표정, 손짓, 발짓, 몸짓, 수화 등이 해당되며, 신호언어에는 깃발, 횃불, 신호, 호각소리, 나팔소리, 군호(軍號) 등을 들 수 있다. 언어적 방법으로는 음성언어와 문자언어로 나뉠 수 있는데, 음성언어는 사람의 발음기관을 통해 나오는 음성으로써 상대방의 청각에 호소하는 진정한 의미의 언어로 1차적 언어에 해당된다. 문자언어는 음성언어의 단점을 보완하기 위해 문자로써 시각에 호소하는 언어로 2차적 언어라고 한다. 그러나 대중매체의 발달과 인터넷 발달에 따른 영향으로 의사소통의 수단이 문자가 되면서 문자언어는 더욱 중요시 되었다. 특히, Vachek(1973) 이후, 귀로 듣는 언어보다 눈으로 보는 언어의 표의주의(表意主義) 이론이 대두되어 정서법을 개정하는 일면의 동기부여도 일으키게 되었다.

　음성언어는 청각의 감각기관을 수단으로 하며 시간과 공간적으로 제한을 받지만, 문자언어는 시각적인 수단에 의한 것으로 시·공간의 제한을 받지 않는다. 또한, 음성언어는 화자의 발화에 직접적인 반응으로 동적인 특성으로 나타나지만, 문자언어는 간접적인 반응으로 정적인 특성을 갖는다. 또한, 음성언어는 감정 표현이 자유롭고, 직접 문답이나 자동 이해가 가능한 반면, 문자언어는 생각을 정리하거나 수정이 가능한 장점을 갖는다. 그리고 음성언어는 선천적으로 습득되지만, 문자언어는 후천적으로 학습된다.

음성언어와 문자언어의 특징

언어 기준	음성언어	문자언어
1. 표출작용의 　 모개체로서	하나의 의미를 음성, 즉 청각기호로 표상함.	음성을 대신하여 하나의 개념을 시각기호로 표상함.
2. 발생적 　 견지에서	1차적 언어. 언어의 기원은 알 수 없으나 태초부터 1차적 언어인 말이 있었을 것임을 알 수 있음.	2차적 언어. 문자는 음성언어에 뒤지며, 음서의 종속적 존재로서 음성기호로 환원이 가능함.
3. 환기작용의 　 과정면에서	직접적임. 음성과 의미가 직접적으로 상호 환기작용을 함.	간접적임. 문자는 항상 중간에 음성을 매개시켜 환기작용을 함.

	「쓰기」의 예를 들면, 의미와 연합하고 있는 음성기호를 환기-음성기호를 통하여 문자를 환기함.	「읽기」의 예를 들면, 시각적 기호인 문자를 통하여 음성적 기호를 환기하고, 음성기호는 그것과 연합하고 있는 의미를 환기함.
4. 전달과 보존 면에서	화자와 청자간의 직접적 관계, 즉 동일한 시간과 장소에서 수행되는 절대적 조건에 구속됨. 이 결함을 보충하기 위하여 녹음·녹화 등이 생김.	시각적 부호로 지상(紙上)이나 화면에 정착시켜 음성언어의 결함을 보충·구제함.
5. 구성양식 면에서	선조적(線條的) 구성	평면적(平面的) 구성
6. 표현 및 그 효과면에서	직접적이며 동적인 표현. 특히 발음에 의한 미묘하고도 동적 표현이 가능하며 진화성이 있음.	간접적이며 정적(靜的)인 표현. 보수성으로 인하여 음성언어와의 간극이 커지며, 정서법·표준말 등의 개정이 불가피함.

3. 한국어와 한국어학

3.1. 한국어의 개념과 위상

원시한국어(原始韓國語)는 우선 원시부여어와 원시한어로 분화되었다. 그리고 전자는 다시 고구려어로 이어지고, 후자는 백제어와 신라어로 분화되었다. 따라서 원시한국어는 북부지역의 부여계(夫餘系) 언어의 고구려어와 남부지역의 한어계(韓語系) 언어인 백제어, 신라어의 공통어로 볼 수 있다. 이는 역사시대 이후 만주 일대와 한반도에 자리잡은 우리 민족의 언어는 부여계 언어와 한어계 언어로 나뉘어 있었기 때문이다. 삼국이 세워지면서 고구려어, 백제어, 신라어가 서로 간에 공통점과 차이점을 가지면서 제각기 모습을 갖추게 되었다.

부여에서 고구려 지역으로 내려온 주몽은 옥저, 동예 등 부족국가를 통일하고 고구려를 건국하여 지배계급의 언어인 부여계((夫餘系) 언어를 사용하였다. 반면에 마한, 진한, 변한의 삼한(三韓) 시대에 사용하던 한어계(韓語系) 언어는 백제와 신라의 고대국가가 건국되면서 백제어와 신라어로 성장하였다. 백제는 부여계의 고구려어와 마한의 한어를 공통으로 사용하였다. 백제어는 주몽의 아들인 온조가 남하하여 마한을 정복하고 백제를 세움으로써 지배계급의 언어인 부여계 언어와 피지배층이 사용하던 마한어의 이중언어를 사용했다.

신라는 진한을 중심으로 변한의 가락국을 정복함으로써 한어계의 언어를 사용하였다. 그리고 고대 한국어는 신라가 삼국을 통일하면서 경주를 중심으로 언어가 통일되어 300여 년 사용되었다. 그러므로 신라어는 우리나라의 언어를 처음으로 통일하여 하나의 한국어의 기틀을 만든 의의가 있다. 이후 개성 지방을 중심으로 건국된 고려는 신라어를 바탕으로 일부 고구려 방언을 수용하여 500여 년 사용하다가 한성을 중심으로 확고한 기반을 다진 조선의 중세국어로 이어지며 근대국어를 거쳐 오늘에 이르고 있다. 고려어의 의의는 개성 지방의 중앙어로서 현대 한국어의 표준어인 서울말의 기저를 이룬 점이다. 그러므로 현대 한국어는 한어계 중심이넌 신라어가 대부분을 차지하지만, 백제어의 이중언어 정책과 고구려어의 일부가 반영됨으로써 부여계 언어가 한어에 유입된 것으로 볼 수 있다.

'한국어(韓國語)'는 한국인이 사용하는 언어로 형태상으로는 교착어이고, 계통적으로는 알타이어족에 속하며, 한반도 전역 및 제주도를 위시한 한반도 주변의 섬에서 사용하는 언어이다. 반면에 '국어'는 한 나라의 국민이 쓰는 나라말, 또는 우리나라의 언어로 '한국어'를 우리 나라 사람이 이르는 말이다.[7] 그러나 우리가 사용하는 '국어'는 'national language'가 아닌 'Korean language'의 뜻이다. 이는 외국에서 우리 국어를 '한국어(Korean language)'로 부르는 의미와 같다. 편의상 모어화자를 대상으로 사용할 때는 '국어'를 사용하고, 외국인이나 국어 인 모어를 모르는 교포를 대상으로 사용할 때는 '한국어'로 사용한다.

언어는 개인적인 것이 아니라 한 사회 대중의 약속에 의해 이루어진 객관적인 현상이며, 오랜 역사를 통해 발전해 온 문화적 유산이다. 우리 언어는 과학적이며 체계적인 표현 수단의 한글과 이를 효율적으로 이해할 수 있는 한자의 상호보완으로 이루어져 세계 그 어느 언어보다 경쟁력 있는 우수한 언어임에 틀림없다. 따라서 국민은 언어를 정확하고 효과적으로 사용함으로써 한국어 발전과 한국 문화 창달에 기여해야 할 책임이 있다. 더욱이 21세기 들어 K-Pop 등 한류 열풍과 더불어 세계 곳곳에서 한국어를 배우려는 사람들이 늘어나고 있는 시점에 해외에 세종학당(2018년 54개국에 171개소 개설) 등 한국어 전문기관 설립이 점점 증가하고 있는 추세에 있어 우리말의 학습 열기가 고조되는 반면에 국내에서는 오히려 공공언어에서 외국어 사용이 늘어나는 추세에 있으며, 저품격 언어가 난무하는 매체언어, 욕설이 일상화된 청소년언어 등 사회 전반에서 어법 파괴 현상이 점점 심각해져 가는 상황이다.

---

[7] 표준국어대사전(1999) 참조.

1988년 서울 올림픽을 기점으로 세계화의 물결 속에 동참한 우리나라는 선진국 대열에 합류한다는 목적으로 무역 수출과 인력 해외 진출의 성과를 가져온 반면에 많은 서구 문물 또한 받아들이면서 서구계 언어, 특히 영어의 유입이 밀려들기 시작했다. 더욱이 국제화 시대의 흐름에 세계 공용어인 영어의 위상은 중·고등학교 입학시험이나 평가시험, 대학 입시뿐만 아니라 직장 시험에서 가장 큰 요인으로 자리 잡아 갔으며 지방자치마다 영어마을 선포식을 갖는 등 온 나라가 영어를 중시하는 분위기 속에 영어는 어느새 우리 민족의 얼과 문화를 잠식해 가고 있다.

대중매체의 발달과 인터넷 발달에 따른 영향으로 의사소통의 수단이 문자로 되면서 문자언어는 더욱 중요시 되었다. 특히, Vachek(1973) 이후, 청각적인 언어보다 시각적인 언어의 형태주의 이론이 대두되어 표기 중심의 언어정책을 가져왔다. 그러나 대중매체의 편리성과 속도성은 편지에서 전화로 대체해 오다가 익명성을 보장받는다는 점과 간편하고 빠르다는 점에서 전자 문자로 바뀌면서 욕설 문화와 문자 파괴를 가져온 것이다. 이는 문자를 쉽게 쓰고자 하는 표음성(싫어 → 시러, 막힌 → 마킨 등)과 지나친 간결성(알았어 → 알써, 선생님 → 샘), 그리고 음성언어 전달(가요 → 가용, 안녕 → 안뇽) 등 자신의 감정을 상대방에게 전달하려는 욕구 표현 등으로 나타나 우리 언어를 파괴하고 있다.

현재 세계 인터넷(텍스트) 언어 순위는 ① 영어(55.7%) ② 러시아어(6%) ③ 독일어(6%), ④ 일본어(5%) ⑤ 스페인어(4.6%) ⑥ 프랑스어(4%) ⑦ 중국어(3.3%) ⑧ 포르투갈어(2.3%) ⑨ 이태리어(1.8%) ⑩ 폴

란드어(1.7%) ⑪ 터키어(1.3%) ⑫ 화란어(1.3%) ⑱ 한국어(0.4%)[8] 등
이다. 한자를 사용하는 중국어와 일본어를 제외하면 대부분 로마자이
다. 앞으로 세계의 언어는 북미 유럽을 중심으로 한 알파벳 로마자문
화권과 중국, 일본, 한국을 중심으로 한 한자문화권으로 재편될 가능
성이 크다.[9]

　21세기는 언어 경쟁 시대이다. 지구상에는 약 1만여 개의 언어가
존재했었다. '에스놀로그(Ethnologue)'에 따르면 지구상에 사용되고
있는 현재 언어는 6,912개이며, 이들 언어 가운데 언어 전수 기능이
가능한 언어는 300개 미만으로 세계인의 96%가 사용하고 있다고 한
다. 이도 100년 후에는 절반으로 줄어들 것이며, 영어, 중국어, 스페인
어, 아랍어 등 일부 언어만 살아남고 나머지는 모두 소멸될 것으로 볼
수도 있다.[10] 세계 언어는 1,2주에 하나의 언어가 사라지고 있을 정도
로 언어 전쟁이 일어나고 있다. 이런 상황에 한국어도 예외일 수 없기
때문에 한국어를 올바르게 사용하고 보급하지 않으면 우리 언어도 소
멸될 수 있음을 간과해서는 안 된다.[11]

8　김진우(2014:14) 참조. 인구면의 순위는 1위 중국어(13억), 2위 스페인어(5억),
　　3위 영어(4억), 4위 힌디어(3.5억), 5위 아랍어(3억), 6위 포르투갈어(2.4억), 7
　　위 벵골어(2.1억), 8위 러시아어(1.5억), 9위 일본어(1.3억), 10위 독일어(1.1억),
　　11위 프랑스어(0.78억), 12위 한국어(0.77억) 등이다.

9　한자는 동아시아의 공용문자로 오랫동안 사용해 왔으며 동양문화를 형성해
　　세계 인구 20억 정도가 한자를 사용하고 있다.

10　박덕유(2007) 참조.

11　로마제국의 라틴어와 청나라의 만주어도 사어(死語)가 되었고, 천 년을 사용
　　해 온 오토만의 아랍 문자는 로마자로, 몽골의 파스파 문자는 시릴릭(Cyrillic)
　　문자로 바뀌었다.

3.2. 한국어학의 필요성과 연구 분야

[1] 한국어학의 필요성

언어는 인간생활에 있어서 매우 중요하다. 정상적인 대화에서 시간 당 4,000~5,000개의 단어를 사용하고, 쉼이 더 적은 라디오 담화에서는 시간 당 8,000~9,000개의 낱말을 사용한다. 정상적인 속도로 독서하는 사람은 시간 당 14,000~15,000개의 단어를 사용한다. 따라서 1시간 동안 잡담을 하며, 1시간 동안 라디오 담화를 들으며, 1시간 동안 독서를 하는 사람은 그 3시간 동안 25,000개의 단어를 접한다. 하루 동안 100,000개의 단어를 사용하게 된다.[12] 이렇게 언어는 중요하며 필요하지만 언어에 대한 이해는 매우 부족하다. 특히, 언어에 관한 인식은 다른 학문과 직접 간접으로 관련을 가지고 있어 언어학의 이해는 매우 중요하다. 어떤 사물이나 현상이 인간 생활에 더 중요한 것일수록 그것을 지칭하는 단어의 수가 많아진다. 예를 들면, '말하다'의 동사와 유사한 의미를 갖는 한국어에는 이야기하다, 떠들다, 재잘거리다, 수군거리다, 지껄이다, 투덜거리다, 구라치다, 수다떨다, 주둥이 놀리다, 뇌까리다 등 많은 단어로 지칭되고 있다.

합리론자들은 인간의 언어능력은 선천적으로 태어날 때부터 타고나는 것으로, 개인의 심리조직이 테빈은 전선으로 연결되어 유전적으로 전해지는 것이라고 하고, 경험론자들은, 심리적으로 말해서 인간은 공백의 석판으로 태어나서 심리조직은 전적으로 후천적인 경험에 의

---

[12] Jean Aitchison(1999), Linguistics : Hodder and Stoughton Teach Yourself Books, 임지룡(2003) 역, 3면 참조.

해 결정되는 것이지 유전적으로 이어받는 것이 아니라고 한다. 여하간 언어를 습득한 사람이라면 누구나 자유로이 언어를 구사할 수 있다. 이는 마치 운전을 배운 사람이면 누구나 운전할 수 있고, 스위치의 용법을 배운 사람은 라디오나 텔레비전을 시청할 수 있는 것과 같다. 즉, 차가 움직이는 원리를 모르고도 운전할 수 있고, 먼 곳에서 소리와 그림이 어떻게 작용하는가의 원리를 모르고도 말을 할 수가 있다.[13]

또한 언어는 대부분 심리적 현상이므로, 언어의 연구는 심리학의 한 부분이라고 일컬을 수도 있다. 인간심리를 적절히 설명하는 이론은 어떤 것이라도 우리의 사고 과정을 설명하지 않으면 안 된다. 언어는 이 점에 있어서 매우 중요한 것이다. 이는 수많은 우리의 사고가 언어형식을 취하기 때문이다. 우리들이 인식하는 개념의 대부분은 언어로써 명칭이 명명되므로, 언어와 개념형성 간의 관계는 심리학자들에게 매우 흥미 있는 것이다. 언어는 또한 심리조직의 이론을 유의적으로 시험하는 수단이기도 하다. 언어는 고도의 구조를 지니고 있으며, 우리는 그 구조의 정체를 제법 상세히 밝혀 기술할 줄 알게 되었다. 따라서 어떤 심리조직의 이론이라도 그것은 인간언어의 특유한 것으로 알려져 있는 그런 종류의 구조를 적절히 포함하지 않으면 안 된다. 자신을 알고 이해하기를 바라는 사람은 자기의 심리적, 사회적인 생활에 있어서 이러한 기본적인 역할을 하는 언어체계의 특성을

---

[13] 김진우(1986:11), "언어 : 그 이론과 응용"에서 자동차나 텔레비전은 분해하고 재조립해 봄으로써 그 작동의 원리를 원하면 알아 볼 수 있지만, 언어는 기계가 아니기 때문에 이를 분해하고 재조립해 봄으로써 그 작동의 원리를 알아낼 수 없으므로 바로 여기에 언어 연구의 어려움이 있다고 했다.

다소라도 이해하지 않으면 안 된다. 우리가 언어학을 배우고 연구하는 목적은 '언어가 거기에 있기 때문이다'라고 대답할 수밖에 없다.[14]

21세기 들어 한류 열풍과 더불어 한국어의 위상이 높아졌다. 그러나 우리의 모국어 사용의 실태는 매우 심각하다. 의도적인 맞춤법 파괴, 지나친 줄임 말 사용, 욕설 등 저품격 언어 사용으로 치닫고 있다. 이러한 상황 속에서 모어 화자를 대상으로 하는 국어나, 외국인 및 우리 언어를 모르는 교포 등을 대상으로 하는 외국어로서의 한국어를 보존하고 발전시키려면 보다 체계적인 한국어 지식의 규칙을 이해해야만 한다. 즉, 훈민정음의 제자원리를 기저로 한국어의 자음체계와 모음체계를 이해하고, 이들 결합에서 발견되는 음운규칙을 이해해야 한다. 또한, 유의미적 단위의 출발인 형태소와 단어를 중심으로 이루어지는 형태론과 구와 절 단위 이상의 문장을 연구하는 문장론의 제반 규칙을 학습해야 한다. 그리고 언어에서 중요한 요소는 형태론이든 문장론이든 형식에 의해 무엇을 담고 있는지를 알아야 하는데, 이 내용에 해당하는 것이 의미이므로 의미론에 대한 이해도 필요하다.

인간이 다른 동물과 구별되는 것 중 하나가 언어를 가졌다는 점이다. 물론 동물도 서로가 의사소통하는 데 문제가 없다. 그러나 동물의 언어는 매우 제한적이다. 인간의 언어는 분절음으로 창의적이고 규칙적이다. 따라서 보다 정확하고 체계적인 의사소통 전달이 필요하다. 본서는 모어 화자를 대상으로 하는 국어와 외국어로서의 한국어를 아우르는 대상의 학문으로서의 특징을 갖는다. 즉, 모어 화자를 대상으로

---

14 Ronald W. Langacker, Language and Its Structure, Harcourt, Brace & World, 1968, Inc., p.3-5 참조.

연구하는 국어학적인 의미와 외국어로서의 한국어학적 의미를 포함하는 데 그 의의가 있다.

언어는 사람이 살아가는 데에 없어서는 안 될 중요한 요소이며, 언어학(linguistics)은 인간 언어에 대한 과학적 연구를 말한다. 따라서 언어의 본질과 기능 그리고 변화 등을 연구 대상으로 하는 학문이다. 반면에 한국어학(Korean linguistics)은 한국어를 대상으로 연구하는 특수언어학이며 개별언어학이다. 한국어를 보존하고 발전시키려면 한국어학에 대한 기본적인 지식이 있어야 하며 올바르게 사용하도록 가꾸고 발전시켜 나가야 한다.

[2] 한국어학의 연구 분야

(1) 일반언어학과 개별언어학

언어학은 언어의 일반적 특성을 대상으로 하는가, 혹은 개별언어를 연구 대상으로 하는가에 따라 일반언어학과 개별언어학으로 나뉜다. 따라서 일반언어학(general linguistics)은 인간 언어에 나타나는 언어적 특징 가운데 인간 언어로서 반드시 내포되는 일반적 특성을 고찰하는 언어학으로 언어의 본질, 언어의 기능, 언어의 작용 등 언어의 일반적인 문제를 다루는 언어학이다. 반면에 개별언어학(particular linguistics)은 한국어의 구조나 변천사 등 개별어의 공통되는 구체적인 한국어의 언어체계를 다루는 것으로 일반언어학에 상대가 되는 언어학이다. 개별언어학은 일반언어학의 이론을 예견하지 않고서는 성립되지 못하며, 일반언어학은 개별언어학을 기초로 하지 않고서는 성립하지 못한다. 따라서 두 분야의 연구는 독립된 것이 아니라, 상호보완적인 것으로 언어의 일반적인 문제를 해결하기 위해서는 다양한 많은 언어들에서 정보를 얻어야 하고, 반면에 한국어라는 개별언어는 일반언어학적 개념과 원리 및 방법을 통해서 기술될 수 있다. 즉, 일반언어학은 대체로 명사와 동사를 갖는다는 보편적 이론에서 한국어학의 개별언어학은 일반언어학이 제공한 명사와 동사에 관한 보다 구체적이고 본질적인 개념에 입각해야 하는 것이다.

(2) 이론언어학과 응용언어학

순수한 언어이론을 대상으로 하는가, 혹은 언어이론과 그 성과를 실용적으로 응용하는가에 따라 이론언어학과 응용언어학으로 나뉜다. 이론언어학(theoretical linguistics)은 언어 현상의 일반적인 원리 및 규칙을 밝히기 위해 언어를 연구하는 분야로 언어의 구조와 그 기능에 관한 이론을 수립하는 것을 목적으로 하는 언어학이다. 응용언어학 (applied linguistics)은 이론언어학의 이론과 그 성과를 실용적으로 응용하려고 하는 언어학이다. 한국어의 교수법, 한국어의 활동 장애의 원인과 그 치료방법, 사전학, 언어공학, 전산학, 통신공학, 정보이론 등 언어학의 전문 지식을 필요로 하는 분야가 많다. 이론언어학은 과학적 학문적 연구로서 언어사실을 있는 그대로 객관적으로 체계화하고 기술하는 분야로 비교언어학, 기술언어학, 변형·생성언어학 등을 들 수 있다.

(3) 공시언어학과 통시언어학

언어를 일정한 시대상의 공간적 입장에서 보는가 혹은 역사적인 관점에서 보는가에 따라 공시언어학(共時言語學, synchronic linguistics)과 통시언어학(通時言語學, diachronic linguistics)으로 구별된다. 어느 특정 시기의 언어 상태를 공시태라고 하고, 역사의 변천 상황에서의 언어 상태를 통시태라고 한다. 따라서 15세기의 경기지방과 경주지방의 언어를 연구하는 것은 공시언어학적 방법이지만, 언어의 역사적 변천 방법으로 15세기와 17세기 사이에 나타난 변화를 연구하는 것은 통시언어학적 방법이다. 그러나 이 역시 상호보완적이다. 즉, 어떤 특정한 시대의 언어 상태를 기술하지 않고는 언어의 역사적인 발전과정을 알 수 없으며, 역사적인 변천 결과 없이는 어떤 특정 시기의 언어 상태를 알 수 없기 때문이다.

(4) 비교언어학과 대조언어학

비교언어학(comparative linguistics)은 친족관계에 있는 언어들, 곧 알타이 공통어에서 분화된 한국어, 퉁구스어, 터키어, 몽골어 등의 상호간의 언어사실을 비교 연구하여 조어의 재구(再構)에 이바지하는 언어학이다. 예를 들어 한국어의 '미추홀'의 '홀(hol)'을 퉁구스어의 '홀로(holo)'와 비교함으로써 알타이어와의 친족관계가 밝혀지고 위치가 결정된다. 반면에 계통이 다른 언어의 구조적 특징을 대조하여 그 차이점을 연구하는 것을 대조언어학(constrastive linguistics)라고 한다. 한국어와 몽골어의 상적 특성에 따른 연구는 비교언어학의 방법이며, 한국어와 영어의 상적 특성에 따른 연구는 대조언어학의 방법이다.

제2장

한국어의 음운론

1. 음성학의 개념과 유형

1.1. 음성의 개념과 특성

‘가곡’에서 첫음절의 ‘ㄱ’과 둘째 음절의 첫소리와 끝소리 ‘ㄱ’은 폐쇄음으로 혀와 여린입천장(연구개)을 이용하여 공기의 흐름을 막았다(閉鎖, 폐쇄)가 터뜨려 낸다(破裂, 파열)는 공통점이 있지만, 첫음절의 ‘ㄱ’은 무성음(無聲音, voiceless)이고 둘째 음절의 첫소리 ‘ㄱ’은 유성음(有聲音, voiced)이라는 차이점이 있다. 그 이유는 둘째 음절의 첫소리(초성)는 모음과 모음 사이에 있기 때문이나. 그리고 둘째 음절의 끝소리(종성)의 ‘ㄱ’은 ‘가곡’의 첫음절 ‘ㄱ’과는 무성음이라는 공통점이 있지만 공기의 흐름을 폐쇄하기만 하고 파열하지 않는다는 점에서 다르다. 이와 같이 구체적인 소리의 하나하나를 음성(音聲)이라 한다.

음성은 사물의 소리와도 다르다. 예를 들어 새소리, 바람소리, 물소리,

접시 깨지는 소리 등은 인간의 발음기관을 통하여 만들어진 분절음인 음성과는 달리 자음과 모음이 분리되지 않는 자연의 소리이다.

① 유성음과 무성음

음성은 성대진동, 즉 성(聲, voice)의 유무에 따라 유성음과 무성음으로 나뉜다. 성대를 진동시킴으로써 발음되는 소리, 곧 성대 진동을 동반하여 산출되는 소리를 유성음(voiced)이라 하고, 유성음과는 달리 성대 진동을 동반하지 않는 소리를 무성음(voiceless)이라 한다. 예를 들면 모든 모음과, 자음 중 /ㄴ,ㄹ,ㅁ,ㅇ/ 등이나 /b, d, g/ 등은 유성음이고, 한국어에서 모음과 /ㄴ,ㄹ,ㅁ,ㅇ/을 제외한 모든 자음은 무성음이다. 영어의 pit(구멍)에서 p는 무성음이고, bit(작은 조각)에서 b는 유성음이다.

② 구음과 비음

음성은 기류가 입안으로 향하느냐 코안으로 향하느냐에 따라 구음(口音, orals)과 비음(鼻音, nasals)으로 나뉜다. 연구개(velum, 라틴어로 '돛'의 뜻)를 올려서 코로 들어가는 기류를 차단하고 입안 쪽으로 기류를 향하게 하여 산출되는 소리를 구음 또는 구강음(orals)이라 하고, 연구개를 아래로 내려서 기류 전체 혹은 일부를 코로 통하게 하여 비강에서 공명하여 산출되는 소리를 비음 또는 비강음(nasals)이라 한다. /ㄴ, ㅁ, ㅇ/은 비음이고, 다른 자음은 모두 구음이다.

③ 지속음과 비지속음

호기(呼氣)를 완전히 차단하느냐, 혹은 부분적으로 차단하느냐에 따라 조음시의 소요되는 시간이 달라져 지속음과 중단음인 비지속음으로 발음된다. 발화할 때 기류가 완전히 막히지 않거나 부분적으로 막혀서 내는 소리를 지속음(continuant)이라 하고, 완전히 차단하여 내는 소리를 중단음 또는 비지속음(interrupted)이라 한다. 기류가 음성기관에서 방해를 받는 정도에 따라 자음과 모음으로 나뉜다.

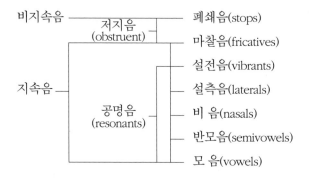

④ 저지음과 공명음

조음방법에 따른 분류의 하나로서 폐쇄의 정도와 비강공명과 같은 소리의 변화에 따라 저지음(沮止音)과 공명음(共鳴音)으로 나뉜다. 저지음(obstruents)은 공기의 흐름을 저지함으로써 산출되는 폐쇄음, 마찰음, 파찰음 등을 말한다. 반면에 공명음(resonants)은 성도를 저지하지 아니하고 성도의 모양을 변형함으로써 산출되는 비음, 설측음, 설전음, 반모음, 모음 등을 말한다.

⑤ 성절음과 비성절음

모음과 같이 음절을 이루는 핵심인 분절음을 성절음(成節音, syllabics)이라 하고, 자음과 같이 음절을 이루지 못하는 분절음을 비성절음(unsyllabics)이라 한다. 성절음을 이루는 가장 일반적인 것은 모음이지만, 영어와 같은 일부 개별언어에는 성절자음도 있다. 그러나 반모음은 비성절음이다.

1.2. 음성학의 개념과 유형

음성이란 인간의 말소리, 즉 사람의 음성기관을 움직여서 내는 언어음(speech sound)으로 이루어지는 소리이며, 이 언어음을 연구하는 것을 음성학이라 한다. 음성학에서는 소리가 어떻게 나오며 어떻게 음파를 타고 전달되고 어떻게 지각되는지 언어음의 특성에 대한 일반적인 연구를 다룬다. 음성학(phonetics)은 음운론(phonology)과 유사한데, 음성학이 소리에 대한 정적(靜寂, static)인 학문이라면, 음운론은 동적(動的, dynamic)인 학문이다. 그리고 음성학이 소리에 대한 과학적인 기술과 분석적인 반면에, 음운론은 소리의 체계와 그 기능적인 것으로 음성모형과 음운체계를 연구한다.

음성학은 화자가 소리 내는 조음기관의 움직임을 연구하는 조음음성학과 음향적 방면으로 소리를 전파 매개하여 음파의 성질을 연구하는 음향음성학, 그리고 청취자의 입장에서 귀로 감지하는 음성을 고찰하는 청취음성학 등이 있다.

① 조음음성학

말소리가 음성기관을 어떻게 사용해서 어디에서 만들어지는가를 기술하고, 그 음성의 분류를 위한 기틀을 제공하는 것과 같이 음성기관의 움직임을 생리적으로 연구하는 음성학을 조음음성학(articulatory phonetics) 또는 생리음성학(physiological phonetics)이라 한다. 화자가 발음할 때의 음성기관의 움직임을 연구하고, 이것에 근거하여 말소리가 어떻게 산출되느냐에 따라 언어음을 정의하고 분류한다.

② 음향음성학

음성 자체의 물리적 구조를 살피고, 그 음파의 특성을 물리적 기계의 도움으로 분석 기술하는 것으로, 공기 중의 진동으로서의 음성의 파형(波形)을 연구 대상으로 하는 음성학을 음향음성학(acoustic phonetics)이라 한다. 귀로만 들어서 아는 청각인상(聽覺印象)만으로는 음성의 물리적 성격을 정확히 규명할 수 없으므로 음향음성학에서는 이들을 기계로 측정 처리하여 보다 더 정확하고 수량화된 음성학을 시도하는 것이다.

③ 청취음성학

청자가 귀로 감지하여 이해하는 청각인상(聽覺印象)에 근거하여 말소리를 기술하는 음성학을 청취음성학(auditory phonetics)이라 한다. 어떤 소리가 아무리 개인의 귀에 거세게 들렸다 해도, 그것이 다른 사람의 귀에는 전혀 다르게 들릴 수도 있다. 객관적이고 과학적인 면이 결여되어 있어 청자의 관점에서 말소리를 연구한다면 말소리의 특성을 확인하는데 필요한 객관적 기준이 없으므로 청자의 주관이 좌우되기 쉽다. 따라서 청취음성학은 고도의 경지에 이른 음성학자의 섬세하고 정확한 귀로 판단한다는 장점도 있지만 음성의 물리적 성질을 과학적으로 규명할 수 없다는 점에서 문제가 있다.

2. 발음기관과 조음부

2.1. 발음기관

음성을 발음해 내는 사람의 발음기관을 음성기관(organs of speech) 이라고 한다. 음성기관은 크게 3부위로 나뉘는데, 공기를 움직이게 하는 발동부(發動部, initiator)와 소리를 발성해 내는 발성부(發聲部, vocalizator), 그리고 발성된 소리를 고루는 조음부(調音部, articulator) 등이 있다.

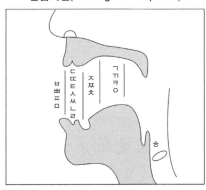

발음기관(The Organs of Speech)

2.2. 조음부

발음기관 가운데에서, 소리를 내는 데 적극적으로 움직이는 부위로 성대에서 발성된 소리를 조음하는 입안(구강)과 코안(비강)을 조음부 (articulator)라고 한다. 조음부에는 비교적 적극적으로 움직이는 능동부와 거의 움직이지 않는 고정부로 이루어진다. 윗입술, 윗잇몸(치조), 경구개, 연구개 등은 고정부에 속하고, 아랫입술, 혀끝(설단), 혓바닥 (설면), 혀뿌리(설근) 등은 능동부에 속한다. 고정부는 조음기관에서 가장 큰 수축이 일어나는 조음위치를 나타내므로 조음점(point of articulation)이라 하고, 능동부는 기류를 막거나 일변하는 데 사용하는 조음기관이므로 조음체(articulator)라 하여 구별하기도 한다.

3. 음운론의 개념과 유형

한국어에서 '기, 끼, 달, 딸, 불, 뿔, 장, 짱' 등은 첫소리 'ㄱ,ㄲ,ㄷ,ㄸ, ㅂ,ㅃ,ㅈ,ㅉ' 에 의하여 서로 뜻이 다른 언어가 되고, '발 벌, 볼, 불'

등은 가운뎃소리 'ㅏ, ㅓ, ㅗ, ㅜ'에 의하여 뜻이 다른 단어가 된다. 이처럼 말의 뜻을 구별해 주는 기능을 가진 소리의 단위를 음운(音韻)이라 한다.[15] 음운의 특징은 ① 비슷한 음성군으로 기억되어 있는 관념적인 소리, ② 모든 사람이 같은 소리값으로 생각하는 추상적인 소리, ③ 문자로 나타낼 수 있는 역사적이며 전통적인 소리, ④ 뜻을 구별하여 주는 가장 작은 음성단위(변별적 기능이 있음), ⑤ 일정한 음운체계와 관계가 있는 소리 등을 들 수 있으며 음운학의 단위가 된다.

① 변이음

하나의 음운이 음성 환경에 따라서 음성적으로 실현된 각각의 소리를 말한다. '가곡'에 사용된 'ㄱ'이라는 음운은 각각의 음성 환경에 따라 무성음 'ㄱ'[k], 유성음 'ㄱ'[g], 내파음 'ㄱ'[k]으로 발음하지만 뜻을 구별짓지 못한다. 이러한 구체적인 음성을 변이음(變異音, allophone)이라 한다.

② 한국어의 음운

한국어의 음운에는 모음 21개(단모음 10개, 이중모음 11개), 자음 19개가 있다.

---

[15] 음운(音韻)은 음소(音素)와 운소(韻素)의 결합으로 음소는 자음과 모음을, 운소는 음소 외에 의미의 변별을 하는 강세, 장단, 성조 등을 뜻한다.

```
                    ┌ 단모음: 'ㅏ,ㅓ,ㅗ,ㅜ,ㅡ,ㅣ,ㅐ,ㅔ,ㅚ,ㅟ'(10개)16
             ┌ 모음 ┤
             │      └ 이중모음: 'ㅑ,ㅕ,ㅛ,ㅠ,ㅒ,ㅖ,ㅘ,ㅙ,ㅝ,ㅞ,ㅢ'(11개)
   음운 ┤
             │      ┌ 안울림소리: 'ㅂ,ㅃ,ㅍ,ㄷ,ㄸ,ㅌ,ㄱ,ㄲ,ㅋ,ㅈ,ㅉ,ㅊ,ㅅ,
             └ 자음 ┤  (저지음)    ㅆ,ㅎ'(15개)
                    └ 울림소리: 'ㅁ,ㄴ,ㄹ,ㅇ'(4개)
                       (공명음)
```

3.1. 모음

성대의 진동을 받은 소리가 목, 입, 코를 거쳐 나오면서 장애를 받지
않고 목청이 떨어 나는 소리를 모음(vowel)이라 한다. 모음의 종류에
는 말소리를 발음하는 도중에 입술이나 혀가 고정되어 움직이지 않는
소리인 단모음과 소리를 내는 도중에 입술 모양이나 혀의 위치가 처음
과 나중이 달라지는 소리인 이중모음이 있다.

1) 모음의 종류

(1) 전설모음과 후설모음

단모음은 혀의 앞뒤의 위치에 따라 혀의 앞쪽에서 나는 전설모음(前
舌母音, front vowels), 혀의 뒤쪽에서 나는 후설모음(後舌母音, back
vowels)으로 나뉜다. 전설모음은 'ㅣ, ㅔ, ㅐ, ㅚ, ㅟ'이고, 후설모음은
'ㅡ, ㅓ, ㅏ, ㅜ, ㅗ'이다.

---

16 'ㅟ'와 'ㅚ'를 학교문법에서는 단모음으로 보고 있으나 'ㅟ'와 'ㅚ'는 [wi], [we]로
   이중모음으로 보는 학자들이 있다.

(2) 고모음, 중모음, 저모음

혀의 높낮이에 따라 고모음, 중모음, 저모음으로 나뉜다. 고모음(高母音, high vowel)은 입이 조금 열려서 혀의 위치가 높은 모음으로 'ㅣ, ㅟ, ㅡ, ㅜ'이고, 중모음(中母音, mid vowel)은 혀의 위치가 중간인 모음으로 'ㅔ, ㅚ, ㅓ, ㅗ'이며, 저모음(低母音, low vowel)은 입이 크게 열려서 혀의 높이가 낮은 모음으로 'ㅐ, ㅏ'이다. 이는 입의 크기에 따른 개구도에 의한 폐모음(閉母音, close vowel), 반폐반개모음(半閉母音半開母音, half-close vowel half-open vowel), 개모음(開母音, open vowel)의 분류와 같다. 즉, 고모음은 혀의 앞쪽이나 뒤가 입천장에 가까이 닿으므로 입의 크기가 작아지는 폐모음이 되며, 저모음은 혀의 앞쪽이나 뒤가 입천장으로부터 최대한 멀어지면서 입의 크기가 커지는 개모음이 된다.

(3) 원순모음과 평순모음

입술의 모양에 따라 원순모음과 평순모음으로 나뉜다. 원순모음(圓脣母音, rounded vowel)은 입술을 둥글게 오므려 내는 모음으로 'ㅚ, ㅟ, ㅜ, ㅗ'이고, 평순모음(平脣母音, unrounded vowel)은 원순모음이 아닌 모음으로 'ㅏ, ㅓ, ㅡ, ㅣ, ㅔ, ㅐ'이다.

한국어의 모음체계

혀의 앞뒤	전설모음		후설모음	
혀의 높이/입술 모양	평 순	원 순	평 순	원 순
고 모 음	ㅣ	ㅟ	ㅡ	ㅜ
중 모 음	ㅔ	ㅚ	ㅓ	ㅗ
저 모 음	ㅐ		ㅏ	

(4) 이중모음

이중모음은 시작되는 혀의 위치에 따라 구분된다. 'ㅣ[j]'의 자리에서 시작되는 모음('ㅑ, ㅕ, ㅛ, ㅠ, ㅒ, ㅖ'), 'ㅗ/ㅜ[w]'의 위치에서 시작되는 모음('ㅘ, ㅙ, ㅝ, ㅞ, (ㅟ)'), 그리고 'ㅡ'의 위치에서 시작되어 'ㅣ'의 위치에서 끝나는 모음('ㅢ')이 있는데, 이들 이중모음을 형성하는 'ㅣ', 'ㅗ/ㅜ' [w] 등이 반모음(半母音, semivowel)이다.

	두 입술, 연구개	혓바닥, 경구개
반 모 음	ㅗ / ㅜ	ㅣ

2) 모음의 발음 특성

(1) 전설모음화

인간은 언어를 편리하게 발음하려는 속성이 있다. 혀 뒤에서 발음하려는 후설모음보다는 혀 앞에서 발음하려는 전설모음이 편리하기 때문이다. 전설모음화(前舌母音化)는 후설모음인 'ㅡ' 음이 치음 'ㅅ, ㅈ, ㅊ' 밑에서 전설모음 'ㅣ'로 변하는 현상으로 18세기 말 이후에 나타나는 일종의 순행동화 현상이다. '즛>짓, 즈레>지레, 츰>칡, 거츨다>거칠다, 슳다>싫다' 등을 들 수 있다. 현대어에 와서 후설모음인 'ㅏ'를 'ㅐ'로, 'ㅓ'를 'ㅔ'로 발음하려는 것도 전설모음화이다. 예를 들어 '[남비]→[냄비]', '[나기]→[내기]', '[장이]→[쟁이]', '[수수꺼끼]→[수수께끼]'로 발음한다.

(2) 고모음화

고모음은 입이 조금 열려서 혀의 위치가 높은 모음으로 폐모음이고, 저모음은 입이 크게 열려서 혀의 높이가 낮은 모음으로 개모음이다. 인간은 발음할 때 입을 작게 벌리려는 속성을 갖는다. 입의 크기가 커질수록 소리도 커지므로 그만큼 에너지가 많이 사용되기 때문이다. 따라서 고모음화(高母音化)는 입의 크기를 작게 발음하려는 것으로 'ㅐ'를 'ㅔ'로, 'ㅗ'를 'ㅜ'로 발음한다. 예를 들어 '[찌개]→[찌게]', '[동이]→[둥이]', '[나하고]→[나하구]'를 들 수 있다.

(3) 원순모음화

원순모음화(圓脣母音化)는 순음 'ㅁ,ㅂ,ㅍ' 아래 오는 모음 'ㅡ'가 'ㅜ'로 변하는 현상으로, 이는 발음의 편리를 꾀한 변화라고 볼 수 있다. 이 현상은 15세기에 나타나기 시작하여 18세기에 많이 나타났다. 원순모음화가 일어나는 경우는 순음과 설음 사이에서 나타난다. 예를 들면 '믈→물, 블→불, 플→풀' 등을 들 수 있다. 15세기에는 '믈[水] : 물[群], 브르다[飽] : 부르다[殖, 潤]'처럼 구별되는 경우도 있다.

(4) 단모음화

단모음화(單母音化)는 치음인 'ㅅ,ㅈ,ㅊ' 뒤에서 이중모음인 'ㅑ,ㅕ, ㅛ,ㅠ'가 앞의 치음의 영향을 받아 'ㅏ,ㅓ,ㅗ,ㅜ'의 단모음으로 바뀌는 현상으로 일종의 순행동화이다. 이는 18세기 말에 나타나기 시작하여 1933년 '한글맞춤법통일안'에서 확정되었다. '셤→섬, 셰상→세상,

둏다→좋다→좋다, 쇼→소' 등을 들 수 있다.

(5) 이화

이화(異化)는 한 낱말 안에 같거나 비슷한 음운 둘 이상이 있을 때, 그 말의 발음을 보다 분명하게 하기 위해 그 중 한 음운을 다른 음운으로 바꾸는 것을 말한다. 여기에는 자음의 이화와 모음의 이화가 있는데, 모음의 이화로는 '소곰→소금, ᄀᆞᄅᆞ→가루, 보롬→보름, 처셤→처엄→처음, 서르→서로' 등을 들 수 있다.

3.2. 자음

목, 입, 혀 따위의 발음 기관에 의해 구강 통로가 좁아지거나 완전히 막히는 따위의 장애를 받으며 나는 소리를 자음(consonant)이라 한다. 자음은 조음 위치와 조음 방법에 따라서 분류할 수 있다.

1) 조음 위치와 방법

(1) 조음 위치

소리 내는 자리인 조음 위치에 따라 양순음, 치조음, 경구개음, 연구개음, 후음 등이 있다. 입술소리인 양순음(兩脣音)은 두 입술에서 나는 소리로 'ㅂ, ㅃ, ㅍ : ㅁ'이고, 치조음(齒槽音)은 혀끝(설단)과 윗잇몸(치조) 사이에서 나는 소리로 'ㄷ, ㄸ, ㅌ ; ㅅ, ㅆ ; ㄴ ; ㄹ'이다. 경구개음(硬口蓋音)은 혓바닥과 경구개(센입천장) 사이에서 나는 소리로 'ㅈ, ㅉ, ㅊ'이고, 연구개음(軟口蓋音)은 혀의 뒷부분과 연구개(여린입천장)에서 나는 소리로 'ㄱ, ㄲ, ㅋ ; ㅇ'이다. 목청소리인 후음(喉音)은 목청 사이에서 나는 소리로 'ㅎ'이 있다.

(2) 조음 방법

소리를 내는 조음 방법에 따라서는 크게 저지음과 공명음으로 분류된다. 안 울림소리인 저지음에는 파열음, 마찰음, 파찰음이 있다. 파열음은 폐쇄음이라고도 하는데 폐에서 나오는 공기를 막았다가 그 막은 자리를 터뜨리면서 내는 소리로 'ㅂ, ㅃ, ㅍ ; ㄷ, ㄸ, ㅌ ; ㄱ, ㄲ, ㅋ'이고, 마찰음은 입안이나 목청 사이의 통로를 좁혀서 공기가 그 사이를 비집고 나오면서 마찰하여 나는 소리로 'ㅅ, ㅆ ; ㅎ'이며, 파찰음은 처음에는 폐쇄음, 나중에는 마찰음의 순서로 두 가지 성질을 다 갖는 소리로 'ㅈ, ㅉ, ㅊ'이다. 이런 저지음(파열음, 마찰음, 파찰음)은 다시 예사소리(ㅂ, ㄷ, ㄱ, ㅈ), 된소리(ㅃ, ㄸ, ㄲ, ㅉ), 거센소리(ㅍ, ㅌ, ㅋ, ㅊ) 등으로 나뉜다.

울림소리인 공명음은 비음(鼻音)과 유음(流音)으로 나뉘는데, 비음은 입안의 통로를 막고 코로 공기를 내보내면서 내는 소리로 'ㅁ, ㄴ, ㅇ'이고, 유음 'ㄹ'은 혀끝을 잇몸에 가볍게 대었다가 떼거나('나라'의 'ㄹ'), 혀끝을 잇몸에 댄 채 공기를 그 양 옆으로 흘러 보내면서 내는 소리('달'의 'ㄹ')이다.[17]

---

17 유음은 받침으로 끝나는 설측음[l]과 모음 사이에서 나는 설전음[r]으로 분류된다.

조음 방법 \ 조음 위치			두입술	윗잇몸 혀 끝	경구개 혓바닥	연구개 혀 뒤	목청 사이
안울림 소 리 (저지음)	파열음 (폐쇄음)	예사소리	ㅂ	ㄷ		ㄱ	
		된 소 리	ㅃ	ㄸ		ㄲ	
		거센소리	ㅍ	ㅌ		ㅋ	
	파찰음 (폐찰음)	예사소리			ㅈ		
		된 소 리			ㅉ		
		거센소리			ㅊ		
	마찰음	예사소리		ㅅ			ㅎ
		된 소 리		ㅆ			
울 림 소 리 (공명음)	비음		ㅁ	ㄴ		ㅇ	
	유음			ㄹ			

2) 자음의 발음 특성

한국어의 자음은 저지음(파열음, 파찰음, 마찰음)에서 공명음(비음, 유음)으로 발음되는 특성을 갖는다. 공명음은 비음과 유음으로 나뉘어 져 이에 대한 것은 비음화와 설측음화(유음화)를 통해 보다 구체적으로 고찰할 것이다.

(1) 비음화

자음은 장애를 받는 소리이다. 그러므로 공명음인 모음보다 발음하기가 어렵다. 그런데 자음 중에서도 공명음이 있다. 폐에서 나오는 공기의 흐름을 저지당하지 않는 편한 음으로 발음하려는 것이다. 공명음에는 비음인 'ㅁ, ㄴ, ㅇ'과 유음인 'ㄹ'이 있다. 이 가운데 폐쇄음이 공명음 사이에서 비음으로 발음하려는 것을 비음화(鼻音化)라 한다. 즉, 'ㅂ'이 'ㅁ'으로, 'ㄷ'이 'ㄴ'으로, 'ㄱ'이 'ㅇ'으로 발음된다. 예를 들어 '[밥물]→[밤물]', '[닫는]→[단는]', '[국물]→[궁물]'로 발음한다.

(2) 설측음화

유음(ㄹ)은 초성에서 날 때에는 혀굴림소리(설전음)로 발음되며, 종성에서 날 때에는 혀옆소리(설측음)로 발음된다. 예를 들어 '나라[nara]'의 'ㄹ'은 설전음[r]으로 혀를 굴려 내는 소리이며, '달아[tala]'의 'ㄹ'은 설측음[l]로 이는 혀끝을 잇몸에 대고 공기를 혀 옆으로 흘려 보내는 소리이다. 이러한 설측음화(舌側音化) 현상은 15, 16세기에 'ㄹ/르' 어간에 모음이 연결될 때, 'ㆍ', 'ㅡ'가 탈락되면서 'ㄹ'이 분철되어 설측음으로 발음되었다.

① 'ㄹ-ㅇ'의 경우

다ᄅ다(異) : 다ᄅ＋아〉달아, 다ᄅ＋옴〉달옴

오ᄅ다(登) : 오ᄅ＋아〉올아, 오ᄅ＋옴〉올옴

니르다(言) : 니르＋어〉닐어, 니르＋움〉닐움

② 'ㄹ-ㄹ'의 경우

ᄲᆞᄅ다(速) : ᄲᆞᄅ＋아〉ᄲᆞᆯ라, ᄲᆞᆯ＋옴〉ᄲᆞᆯ롬

모ᄅ다(不知) : 모ᄅ＋아〉몰라, 모ᄅ＋옴〉몰롬

흐르다(流) : 흐르＋어〉흘러, 흐르＋움〉흘룸

현대어에서도 설측음화 현상이 있다. 받침 'ㄴ'은 'ㄹ'의 앞이나 뒤에서 [ㄹ]로 발음한다. 예를 들면 '신라→[실라]', '난로→[날로]', '칼날→[칼랄]' 등을 들 수 있다.

(3) 받침의 대표음화

폐쇄음인 파열음의 계열 'ㅂ,ㅍ,ㅃ', 'ㄷ,ㅌ,ㄸ', 'ㄱ,ㅋ,ㄲ'이 받침으

로 올 때, '앞→[압], 잎→[입]', '낱→[낟]', '부엌→[부억], 밖→
[박]' 등처럼 예사소리인 'ㅂ', 'ㄷ', 'ㄱ'으로 발음된다. 그리고 파찰음
'ㅈ, ㅊ'과 마찰음 'ㅅ, ㅆ, ㅎ'은 'ㄷ'으로 소리 난다. '옷→[옫], 낮
→[낟], 꽃→[꼳], 바깥→[바깓], 히읗→[히읃]' 등을 들 수 있다.

(4) 경음화

받침 'ㄱ(ㅋ,ㄲ), ㄷ(ㅌ, ㅅ, ㅆ, ㅈ, ㅊ), ㅂ(ㅍ)' 뒤에 연결되는 'ㄱ,
ㄷ, ㅂ, ㅅ, ㅈ'은 된소리인 [ㄲ, ㄸ, ㅃ, ㅆ, ㅉ]으로 발음한다. 예를 들어
'먹고→[먹꼬], 국밥→[국빱], 부엌도→[부억또], 깎다→[깍따], 닫
다→[닫따], 입고→[입꼬], 덮개→[덥깨], 옷감→[옫깜], 꽃집→
[꼳찝] 등처럼 경음으로 발음된다.

3.3. 음절

한 뭉치를 이루는 소리의 덩어리로서 모음과 자음이 결합되어 이루
는 가장 작은 발음 단위를 음절(syllable)이라 한다. 한국어에서 음절이
만들어지려면 반드시 성절음인 모음이 있어야 한다. 음절의 구조는
'모음(V)' 단독(이, 어, 애, 왜), '자음+모음(cV)'(가, 노, 대, 표), '모음
+자음(Vc)'(앞, 열, 옷, 왕), '자음+모음+자음(cVc)'(감, 돈, 벌, 집)
등을 들 수 있다. 음절을 구성할 때, 우선, 음절의 첫소리로 올 수 있는
자음은 모두 18개이며, 'ㅇ'[ŋ]은 첫소리에 올 수 없다. 그리고 음절의
끝소리로 올 수 있는 자음은 7개('ㄱ,ㄴ,ㄷ,ㄹ,ㅁ,ㅂ,ㅇ')의 자음만 올
수 있으며, 자음 단독으로는 음절을 이루지 못한다.[18]

4. 운소

음운(音韻)은 음소(音素, phoneme)와 운소(韻素, prosody)로 분류된다. 음소는 더 이상 작게 나눌 수 없는 음운론상의 최소 단위로 하나 이상의 음소가 모여서 음절을 이루며, 자음과 모음으로 분류된다. 운소는 단어의 의미를 분화하는 데 관여하는 음소 이외의 운율적 특징으로 소리의 높낮이, 길이, 세기 따위가 있다. 한국어에서는 같은 모음을 특별히 길게 소리 냄으로써 단어의 뜻을 분별하는 기능을 갖는 경우가 많다. 이처럼 소리의 길이는 뜻을 구별하여 준다는 점에서 자음이나 모음과 같은 기능을 갖는다.

(1) 소리의 길이에 따라 뜻이 분별되는 말

눈:[雪] – 눈[目]　　　　　　밤:[栗] – 밤[夜]

발:[簾] – 발[足]　　　　　　장:[將, 醬] – 장[場]

벌:[蜂] – 벌[罰]　　　　　　손:[損] – 손[手]

배:[倍] – 배[梨, 舟]　　　　매:[鷹] – 매[磨石, 회초리]

돌:[石] – 돌(생일)　　　　　굴:[窟] – 굴(굴조개)

고:적(古蹟) – 고적(孤寂)　　광:주(廣州) – 광주(光州)

부:자(富者) – 부자(父子)　　방:화(放火) – 방화(防火)

유:명(有名) – 유명(幽明)　　적:다(小量) – 적다(記錄)

갈:다(耕) – 갈다(代)　　　　곱:다(麗) – 곱다(손이)

가:정(假定) – 가정(家庭)　　무:력(武力) – 무력(無力)

---

[18] 음절의 중심을 이루는 모음(가운뎃소리)은 성절음이고, 첫소리와 끝소리를 이루는 자음은 비성절음이다.

걷:다(步) – 걷다(收)   영:리(怜悧) – 영리(營利)

대:전(大戰) – 대전(大田)   이:사(理事) – 이사(移徙)

사:실(事實) – 사실(寫實)   묻:다(問) – 묻다(埋)

달:다(물이 졸아 붙다, 다오) – 달다(甘)   말:다(勿) – 말다(卷)

잇:다(續) – 있다(有)   성:인(聖人) – 성인(成人)

(2) 긴소리의 위치

긴소리는 일반적으로 단어의 첫째 음절에서 나타난다.

명사: 곰:보, 그:네, 대:추, 자:랑, 호:박

동사: 긋:다, 깁:다, 놀:다, 살:다, 울:다

형용사: 검:다, 멀:다, 좋:다, 참:하다, 가:없다

부사: 모:두, 진:작, 아:무리

모음의 장단을 구별하여 발음하되, 단어의 첫음절에서만 긴소리가
나타나는 것을 원칙으로 한다.[19]

① 눈보래[눈 : 보래]   말씨[말 : 씨]   밤나무[밤 : 나뮈]

  많대[다 : 태]   멀리[멀 : 리]   벌리대[벌 : 리대]

② 첫눈[천눈]   쌍동밤[쌍동밤]   떠벌리대[떠벌리대]

  수많이[수 : 마늬]   눈멀대[눈멀대]   잠말[참날]

다만, 합성어의 경우에는 둘째 음절 이하에서도 분명한 긴소리를
인정한다.

---

[19] 표준발음법 제6항 참조.

반신반의[반 : 신 바 : 늬/반 : 신 바 : 니]

재삼재사[재 : 삼 재 : 사]

붙임 용언의 단음절 어간에 어미 '-아/- 어'가 결합되어 한 음절로 축약
되는 경우에도 긴소리로 발음한다.

　　보아 → 봐[봐 :]　기어 → 겨[겨 :]　되어 → 돼[돼 :]

　　두어 → 둬[둬 :]　하여 → 해[해 :]

　　다만, '오아 → 와, 지어 → 져, 찌어 → 쪄, 치어 → 쳐' 등은
긴소리로 발음하지 않는다.

　그리고 긴소리를 가진 음절이라도, 다음과 같은 경우에는 짧게 발음
한다.[20]

　① 단음절인 용언 어간에 모음으로 시작된 어미가 결합되는 경우

　　감다[감 : 따] — 감으니[가므니]

　　밟다[밥 : 따] — 밟으면[발브면]

　　신다[신 : 따] — 신어[시너]

　　알다[알 : 다] — 알아[아라]

　　다만, 다음과 같은 경우에는 예외적이다.

　　끌다[끌 : 다] — 끌어[끄 : 러]

　　떫다[떨 : 따] — 떫은[떨 : 븐]

　　벌다[벌 : 다] — 벌어[버 : 러]

　　썰다[썰 : 다] — 썰어[써 : 러]

　　없다[업 : 따] — 없으니[업 : 쓰니]

―――――――――

[20] 표준발음법 제7항 참조.

② 용언 어간에 피동, 사동의 접미사가 결합되는 경우

　　감다[감 : 때] — 감기다[감기다]

　　꼬다[꼬 : 다] — 꼬이다[꼬이다]

　　밟다[밥 : 때] — 밟히다[발피다]

다만, 다음과 같은 경우에는 예외적이다.

　　끌리다[끌 : 리다]　　벌리다[벌 : 리다]　　없애다[업 : 쌔다]

붙임 다음과 같은 합성어에서는 본디의 길이에 관계없이 짧게 발음
한다.

　　밀 - 물　　썰 - 물　　쏜 - 살 - 같이　　작은 - 아버지

5. 한국어의 음운 규칙

　음운 규칙이란 한 형태소가 다른 형태소와 결합할 때, 형태소의 음
운이 조건에 따라 다른 음운으로 바뀌는 현상을 말한다. 음운 변화 현
상은 발음하는 데 편하게 발음하려는 속성을 가지므로 저지음에서 공
명음으로 발음하려고 한다. 그리고 음운 변화는 동일한 조음 위치에서
바뀐다. 한국어 자음의 경우 저지음의 대부분은 폐쇄음이다. 그러므로
폐쇄음인 'ㄱ'은 'ㅇ'(국민 → 궁민)으로, 'ㄷ'은 'ㄴ'(닫는 → 단는)으
로, 그리고 'ㅂ'은 'ㅁ'(밥물 → 밤물)으로 바뀐다. 조건에 의한 결합 변
화의 음운 규칙에는 동화(同化)와 비동화(非同化)가 있는데, 동화에는
자음동화(비음화, 유음화), 자음 · 모음간 동화(구개음화), 모음동화(모
음조화, ㅣ모음동화)가 있으며, 비동화에는 축약, 탈락, 첨가, 이화, 중
화, 음운도치 등이 있다.

5.1. 음절의 종성 규칙

[1] 7종성 규칙

한국어에서 음절의 종성으로 사용되는 자음은 모두 'ㄱ, ㅋ, ㄲ, ㄴ, ㄷ, ㅌ, ㄹ, ㅁ, ㅂ, ㅍ, ㅅ, ㅆ, ㅇ, ㅈ, ㅊ, ㅎ' 등 16자이다. 'ㄸ, ㅃ, ㅉ' 3자는 음절의 종성으로 사용되지 않는다. 16개 자음 중 발음될 수 있는 자음은 'ㄱ, ㄴ, ㄷ, ㄹ, ㅁ, ㅂ, ㅇ' 일곱 소리뿐이다. 따라서 음절 끝에 일곱 소리 이외의 자음이 오면 이 일곱 자음 중의 하나로 바뀌어 발음하는데, 이러한 음운의 교체현상을 음절의 종성 규칙이라 한다. 7개의 받침으로 올 수 있는 자음 중 공명음인 'ㄴ, ㄹ, ㅁ, ㅇ'은 가획자나 병서자가 없는 단독 자음이므로 당연히 음절 종성으로 올 수 있으며, 나머지 3자는 폐쇄음의 기본자인 'ㄱ, ㄷ, ㅂ'이다.

받침	대표음	예
ㄱ, ㅋ, ㄲ	[ㄱ]	책[책], 부엌[부억], 밖[박]
ㄴ	[ㄴ]	산[산]
ㄷ, ㅅ, ㅆ, ㅈ, ㅊ, ㅌ, ㅎ	[ㄷ]	숟가락[숟까락], 옷[옫], 있다[읻따], 낮[낟], 꽃[꼳], 끝[끋], 히읗[히읃]
ㄹ	[ㄹ]	풀[풀]
ㅁ	[ㅁ]	몸[몸]
ㅂ, ㅍ	[ㅂ]	입[입], 잎[입]
ㅇ	[ㅇ]	강[강]

음절 종성에 자음이 두 개 쓰인 것을 '겹받침'이라 한다. 겹받침일 경우 앞 자음이나 뒤 자음 중 하나만 발음한다.

앞 자음이 발음되는 경우			뒤 자음이 발음되는 경우		
겹받침	발음	예	겹받침	발음	예
ㄳ	[ㄱ]	넋[넉]	ㄺ	[ㄱ]	닭[닥]
ㄵ	[ㄴ]	앉다[안따]	ㄻ	[ㅁ]	삶[삼], 젊다[점따]
ㄼ	[ㄹ]	여덟[여덜], 넓다[널따]	ㄿ	ㅍ→[ㅂ]	읊다[읍따]
ㄽ	[ㄹ]	외곬[외골]			
ㄾ	[ㄹ]	핥다[할따]			
ㅄ	[ㅂ]	값[갑]			
ㄶ	[ㄴ]	많고[만코]			
ㅀ	[ㄹ]	싫다[실타]			

(1) '밟-'은 자음 앞에서 [밥:]으로 발음한다.

밟다[밥:따]   밟소[밥:쏘]   밟지[밥:찌]   밟는[밥:는 → 밤:는]
밟게[밥:께]   밟고[밥:꼬]

(2) '넓-'은 다음과 같은 경우에 [넙]으로 발음한다.

넓죽하다[넙쭈카다]   넓둥글다[넙뚱글다]

(3) 'ㄺ'이 용언의 어간 말음일 경우, 'ㄺ'은 'ㄱ' 앞에서 [ㄹ]로 발음한다.

맑게[말께]   읽고[일꼬]   얽거나[얼꺼나]

[2] 'ㅎ'의 발음 규칙

'ㅎ'의 발음은 특이하다. 이에 대한 발음 규칙은 표준발음법 제12항에 자세히 기술되어 있는데, 이를 참고하여 정리하여 제시하면 아래와 같다.

(1) 'ㅎ(ㄶ, ㅀ)' 뒤에 'ㄱ, ㄷ, ㅈ'이 결합되는 경우, 뒤 음절 첫소리와 합쳐서 [ㅋ, ㅌ, ㅊ]로 발음한다.

놓고[노코] 좋던[조턴] 쌓지[싸치] 많고[만코] 싫대[실태] 닳지[달치]

(2) 받침 'ㄱ(ㄺ), ㄷ, ㅂ(ㄼ), ㅈ(ㄵ)'이 뒤 음절 첫소리 'ㅎ'과 결합되는 경우에도 두 소리를 합쳐서 [ㅋ, ㅌ, ㅍ, ㅊ]로 발음한다.

각해[가카] 먹히대[머키다] 밝히대[발키다] 맏형[마텽] 좁히대[조피다]
넓히대[널피다] 꽂히대[꼬치다] 앉히대[안치다]

(3) 'ㅎ(ㄶ, ㅀ)' 뒤에 'ㅅ'이 결합되는 경우, 'ㅅ'을 [ㅆ]으로 발음한다.

닿소[다쏘] 많소[만쏘] 싫소[실쏘]

(4) 'ㅎ' 뒤에 'ㄴ'이 결합되는 경우에는 'ㅎ'을 [ㄴ]으로 발음한다.

놓는[논는] 쌓네[싼네]

(5) 'ㄶ, ㅀ' 뒤에 'ㄴ'이 결합되는 경우에는 'ㅎ'을 발음하지 않는다.

않네[안네] 않는[안는] 뚫네[뚫네 → 뚤레] 뚫는[뚫는 → 뚤른]

(6) 'ㅎ(ㄶ, ㅀ)' 뒤에 모음으로 시작된 어미나 접미사가 결합되는
경우에는 'ㅎ'을 발음하지 않는다.

낳은[나은] 좋은[조은] 놓아[노아] 쌓이다[싸이다]
많아[마:나] 않은[아는] 닳아[다라] 싫어도[시러도]

[3] 연음 규칙

앞 음절의 끝 자음이 모음으로 시작되는 뒤 음절의 초성으로 이어져
나는 소리 규칙을 연음(連音) 규칙이라 한다. 이에 대한 규칙은 표준발
음법 제13항, 14항, 15항에 제시되어 있다. 이를 참고하여 정리하면
아래와 같다.

(1) 홑받침이나 쌍받침이 모음으로 시작된 조사나 어미, 접미사와
    결합되는 경우에는, 제 음가대로 뒤 음절 첫소리로 옮겨 발음
    한다.

    깎아[까까]   옷이[오시]   있어[이써]
    낮이[나지]   꽂아[꼬자]   꽃을[꼬츨]
    쫓아[쪼차]   밭에[바테]   앞으로[아프로]
    덮이다[더피다]

(2) 겹받침이 모음으로 시작된 조사나 어미, 접미사와 결합되는 경
    우에는, 뒤엣것만을 뒤 음절 첫소리로 옮겨 발음하는데 이때
    'ㅅ'은 된소리로 발음한다.

    넋이[넉씨]   앉아[안자]   닭을[달글]
    젊어[절머]   곬이[골씨]   핥아[할타]
    읊어[을퍼]   값을[갑쓸]   없어[업 : 써]

(3) 받침 뒤에 모음 'ㅏ, ㅓ, ㅗ, ㅜ, ㅟ'들로 시작되는 실질 형태소가
    연결되는 경우에는, 대표음으로 바꾸어서 뒤 음절 첫소리로 옮
    겨 발음한다.

    밭 아래[바다래]   늪 앞[느밥]   젖어미[저더미]
    맛없다[마덥따]   겉옷[거돋]   헛웃음[허두슴]
    꽃 위[꼬뒤]

다만, '맛있다, 멋있다'는 [마싣따], [머싣따]로도 발음할 수 있으며,

겹받침의 경우에는 그 중 하나만을 옮겨 발음한다.

값없다→[갑업다]→[가법따]   값있는→[갑읻는]→[가빈는]→[가빈는]
넋없다→[넉업다]→[너겁따]   닭 앞에→[닥아페]→[다가페]

5.2. 음운의 동화

[1] 자음동화

음절 종성 자음이 그 뒤에 오는 자음과 만날 때, 어느 한쪽이 다른
쪽을 닮아서 그와 비슷하거나 같은 소리로 바뀌기도 하고, 양쪽이 서
로 닮아서 두 소리가 다 바뀌기도 하는 현상을 자음동화라 한다. 자음
동화에는 비음동화와 유음동화가 있다.

1) 비음동화

(1) 받침 'ㄱ(ㄲ, ㅋ, ㄳ, ㄺ), ㄷ(ㅅ, ㅆ, ㅈ, ㅊ, ㅌ, ㅎ), ㅂ(ㅍ, ㄼ,
ㄿ, ㅄ)'은 'ㄴ, ㅁ' 앞에서 [ㅇ, ㄴ, ㅁ]으로 발음한다.

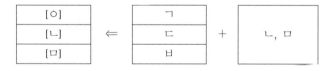

국물[궁물] 맏며느리[만며느리] 밥물[밤물] 앞마당[암마당]
꽃망울[꼰망울] 붙는[분는] 없는[엄는] 밟는[밤는] 속는대[송는
대] 먹는[멍는] 흙만[흥만]

(2) 받침 '口, ㅇ' 뒤에 연결되는 'ㄹ'은 [ㄴ]으로 발음한다.

ㅁ			
ㅇ	+	ㄹ	⇒	[ㄴ]

종로[종노] 대통령[대통녕] 강릉[강능] 침략[침냑] 담력[담녁]

(3) 받침 'ㄱ,ㅂ' 뒤에 연결되는 'ㄹ'은 우선 [ㄴ]으로 발음한다.[21] 그
리고 이 [ㄴ]은 받침의 'ㄱ, ㅂ'을 [ㅇ, ㅁ]으로 발음하게 한다.
다시 말해 '백로[백노→뱅노]' '섭리[섭니→섬니]'로 된다. 따
라서 'ㄹ' 앞에 있는 받침 'ㄱ, ㅂ'이 '[뱅로→뱅노], [섬리→섬
니]'처럼 될 수 없다. 그 이유는 '천리[철리]'의 '리'처럼 받침
다음에 'ㄹ'이 오는 경우는 받침이 'ㄹ'이 올 경우에만 가능하기
때문이다.

　　백로[백노→ 뱅노] 막론[막논→ 망논] 섭리[섭니→ 섬니]
　　협력[협녁→ 혐녁]

그러나 실제로 '섭리[섬리→섬니], 백로[뱅로→뱅노]'로 발음될
수 있다. 그 이유는 공명음화 우선 원칙이 있기 때문이다. 따라서 '섭
리→[섬리]', '백로→[뱅로]'처럼 받침 'ㅂ,ㄱ'이 공명음 사이에 있기
때문에 우선적으로 저지음인 폐쇄음 'ㅂ'이 공명음 'ㅁ'으로, 폐쇄음
'ㄱ'이 공명음 'ㅇ'으로 발음되는 것이 자연스럽다. 그 다음 받침 'ㅁ,
ㅇ' 뒤에 연결되는 'ㄹ'은 비음동화로 인해 [ㄴ]으로 발음되기 때문에

---

21 이와 같은 규정은 표준발음법 제19항 [붙임]에서 제시하고 있다.

섭리[섭리 → 섬니], 백로[백로 → 뱅노]의 순서로 발음하는 것이다.

2) 유음동화

'ㄴ'은 'ㄹ'의 앞이나 뒤에서 [ㄹ]로 발음되는 것을 유음동화라 한다.

난로[날로]   신라[실라]   천리[철리]
칼날[칼랄]   물난리[물랄리]   할는지[할른지]

그러나 받침 'ㄴ' 뒤에 있는 'ㄹ'은 'ㄴ'으로 발음하는 경우가 있다.

의견란 → [의견난], 임진란 → [임진난], 음운론 → [음운논]
공권력 → [공꿘녁], 상견례 → [상견녜]

[2] 모음동화

모음동화는 모음과 모음 간에 일어나는 동화 현상으로 'ㅏ, ㅓ, ㅗ, ㅜ'가 'ㅣ'모음의 영향으로 'ㅐ, ㅔ, ㅚ, ㅟ' 등으로 변하는 현상('ㅣ'모음 역행동화)을 말한다. 이들 발음은 대부분 표준어로 인정하지 않는다.[22]

---

[22] '냄비, 멋쟁이, 올챙이, 신출내기, 수수께끼' 등은 'ㅣ'모음 역행동화로 굳어져 표준어로 인정된 것이다.

아비 → [애비], 손잡이 → [손재비], 먹이다 → [메기다], 창피 → [챙피]

올창이 → [올챙이], 남비 → [냄비], 아지랑이 → [아지랭이], 시골나기
→ [시골내기]

한편, 'ㅣ' 뒤에 'ㅓ, ㅗ'가 오면 'ㅣ' 모음의 영향으로 'ㅕ, ㅛ'로 바
뀌는 경우가 있다('ㅣ'모음 순행동화). 다만 '되어, 피어, 이오, 아니오'
의 경우는 [어]와 [오]로 발음하는 것을 원칙으로 하되, [여]와 [요]로
발음하는 것도 허용한다.

드디어 → [드디여],   참이었다 → [참이였다]

오시오 → [오시요],   당기시오 → [당기시요]

참고 ── 모음조화

모음조화는 모음동화의 일종으로 양성모음('ㅏ, ㅗ, ㅑ, ㅛ')은 양성모음끼리,
음성모음('ㅓ, ㅜ, ㅡ, ㅕ, ㅠ')은 음성모음끼리 어울리는 현상으로 15세기에는
철저히 지켜졌지만, 현대 국어에서는 현실발음의 모음 강화현상으로 모음조
화 현상이 많이 붕괴되었다. 용언어간에 붙는 어미는 대부분 모음조화를 지키
고 있으나(①), 일종의 발음 강화현상으로 모음조화가 붕괴된 단어가 많다(②).
반면에 의성어와 의태어에서는 지금도 철저히 지켜지고 있다(③).

① 막아 : 먹어, 막았다 : 먹었다, 막아라 : 먹어라
② 오순도순, 오뚝이, 괴로워, 아름다워, 소꿉놀이
③ 졸졸 : 줄줄, 캄캄하다 : 컴컴하다, 알록달록 : 얼룩덜룩
   살랑살랑 : 설렁설렁, 찰찰 : 철철, 달달 : 들들

[3] 구개음화

끝소리가 치조음인 'ㄷ, ㅌ'인 형태소가 경구개음인 'ㅣ' 혹은 경구
개 반모음 'ㅓ'(주로 '여')로 시작되는 형식 형태소와 만나면 경구개음
인 'ㅈ, ㅊ'으로 발음되는 음운현상을 구개음화라고 한다.**23** 이는 경구
개음의 동일한 조음 위치에서 발음하려는 자음·모음간 동화로 볼
수 있다.

굳이[구디 → 구지], 해돋이[해도디 → 해도지], 같이[가티 → 가치],
붙여[부텨 → 부쳐 → 부처]

'ㄷ'의 뒤에 형식 형태소 '히'가 오면, 먼저 'ㄷ'과 'ㅎ'이 결합하여
ㅌ'이 된 다음, 'ㅌ'이 구개음화하여 'ㅊ'이 된다.

굳히다[구티다 → 구치다],   닫히어[다티어=다텨 → 다치어=다쳐 →
다처]

> **참고**
>
> 현대국어의 구개음화는 형식형태소인 조사나 접사가 결합한 경우에 일어나
> 며, 한 형태소 내에서나 합성어 안에서는 구개음화가 일어나지 않는다. 그러
> 나 근대국어에서는 한 형태소 안에서도 구개음화가 일어났다.
>
> 텬디 → 천지 → 천지   디다 → 지다   됴타 → 죠타 → 좋다

---

23 구개음화는 경구개음화를 말한다.

5.3. 음운의 축약과 탈락

[1] 축약

두 형태소가 서로 만날 때에 앞뒤 형태소의 두 음운이나 두 음절이 하나의 음운이나 음절로 줄어드는 현상을 축약이라 한다. 축약 현상에는 자음 축약과 모음 축약이 있다. 자음 축약은 'ㄱ, ㄷ, ㅂ, ㅈ'과 'ㅎ'이 서로 만나면 'ㅋ, ㅌ, ㅍ, ㅊ'으로 축약된다.

먹히다 → [머키다], 좋다 → [조타], 잡히다 → [자피다]

두 모음이 서로 만나서 한 음절이 되는 모음 축약이 있다.

되어 → [돼], 가리어 → [가려], 뜨이다 → [띄다]

[2] 탈락

둘 이상의 형태소나 음절이 서로 만날 때에 어느 한 음운이나 음절이 없어지는 현상을 탈락이라 한다. 탈락 현상에는 자음 탈락과 모음 탈락이 있는데, 자음 탈락은 'ㄴ, ㅅ, ㅈ, ㄷ' 앞에서는 'ㄹ'이 탈락하고, 겹받침이 자음과 만나는 경우에는 겹받침이 대표음으로 발음된다.

딸님 → [따님], 울는 → [우는], 열닫이 → 여닫이 울짖다 → 우짖다,
값도 → [갑도] → [갑또]

모음 탈락은 한 음절이나 모음의 한 음운이 탈락한다.

가아서 → [가서], 서었다 → /섰다/ → [섣따], 뜨어 → [떠]

5.4. 사잇소리 현상

두 개의 형태소 또는 단어가 어울려 합성 명사를 이룰 때 그 사이에
덧생기는 소리를 사잇소리 현상이라 한다. 그런데 전제 조건은 앞의
말의 끝소리가 반드시 울림소리이어야 한다.

(1) 앞의 말이 모음으로 끝나면 사이시옷을 적는다.

초+불→ 촛불, 배+사공→ 뱃사공, 뒤+동산→ 뒷동산

(2) 앞 말의 받침이 'ㄴ, ㅁ, ㅇ, ㄹ' 등 울림소리 자음이 오면 사잇소
리 현상이 일어나지만 사이시옷을 적지 않는다. 발음은 된소리
로 적는다.[24]

비빔+밥→ [비빔빱], 밥+길→ [밥낄], 촌+사람→ [촌싸람],
등+불→ [등뿔], 길+가→ [길까]

(3) 앞말이 모음으로 끝나고, 뒷말이 'ㄴ, ㅁ'으로 시작되면 'ㄴ'소리
가 덧나는 일이 있는데 이런 경우에 사이시옷을 적는다.

코+날→ 콧날[콘날] 이+몸→ 잇몸[인몸]

---

[24] 두 개의 안울림소리가 서로 만나면 뒤의 소리가 된소리로 발음되는 현상으로
어간과 어미 사이(①), 체언과 조사 사이(②), 명사와 명사의 합성어의 경우
(③) 등에서 나타난다.
① 입고→[입꼬], 먹자→[먹짜], 잡자→[잡짜]
② 법도→[법또], 떡과→[떡꽈], 밭과→[받꽈]
③ 앞길→[압낄], 젖소→[전쏘]

(4) 뒤의 말이 모음 'ㅣ'나 반모음 'ㅑ'로 시작될 때에는 'ㄴ'이 하나 혹은 둘이 겹쳐 나는 일이 있는데, 이 경우에도 사잇소리 현상이 지만 사이시옷을 적지 않는다.

집 + 일 → [짐닐], 부엌 + 일 → [부엉닐], 콩 + 엿 → [콩녇],
물 + 약 → [물략], 논일 → [논닐]

(5) 한자가 합쳐서 단어를 이룰 경우에는 앞말이 모음으로 끝나더라도 사이시옷을 표기하지 않는다. 다만 6개의 한자어에만 사이시옷을 적는다.

곳간(庫間), 셋방(貰房), 숫자(數字), 찻간(車間), 툇간(退間),
횟수(回數)

제3장

한국어의 형태론

1. 형태와 형태소

1.1. 형태

[1] 형태의 개념

하나의 형태소가 문맥에 따라 실제 어형(語形)으로 나타날 때 그 어형을 형태(morph)라 한다. 다시 말하면 형태는 형식과 의미가 같은 최소의 분절기호를 말한다. 그런데 '의미가 같다'라는 말의 기준은 막연한 것으로 상당한 폭이 있는 말이다. 이에 반하여 '형식이 같다'라는 말은 명료한 것이다. 예를 들면, ear of the corn에서 ear와 '귀'라고 하는 ear, 그리고 foot of mountain에서의 foot와 '발'이라고 하는 foot 는, 형식은 같은데 의미는 전혀 다르다. 반면에 [iréjs]와 [iréjz](철자는 erase '삭제하다')는 의미는 같은데 형식이 다르다. books, bags, boxes 의 복수를 나타내는 어미 [-s, -z, -iz]는 서로 다른 형식이다. 과거를 나타내는 {-ed}는 [-t, -d, əd]로 바꾸며, 국어의 {-속}도 분포에 따라 [sok, soŋ] 등으로 꼴바꿈하는 일이 있다. {값}의 [kap, kam], {밭}의 [pat, patʼ, pačʼ, pan] 등을 각각 형태라고 한다.

다시 말하여 하나의 형태소가 문맥에 따라 실제 어형으로 나타날 때 그 어형을 형태라고 할 수 있으나, 그 형태의 어형과 의미가 동일한 최소의 분절기호이어야 한다. 예를 들면, 말(馬)[mal]과 말(言)[ma:l]은 어형은 같지만 의미가 다르기 때문에 동일 형태소가 아니다. "말을 잘 한다"의 '말'과 "말을 잘 탄다"의 '말'은 서로 상이한 형태라고 할 수 있다. 또한 "밥을 먹다"의 '먹-' [mʌk], "밥을 먹는다"의 '먹-' [mʌŋ], "밥을 먹이다"의 '먹-' [mʌg]은 모두 {먹-}이라는 점에서 동일한 형태소이지만 동일 형태는 아니다. 한 형태소에서 변이한 이형태(allomorph)가 된다. 이들은 모두 '먹다'라는 동사의 어간이기 때문에 의미는 같지만 최소 분절기호(즉, mʌk, mʌŋ, mʌg)가 서로 다르다.

형태는 하나 이상의 분절음으로 이루어진다. 형태에 대조를 이루는 소리는 단음(單音), 이음(異音), 음소(音素) 가운데 단음과 대조를 이룬다. 요컨대 형태와 단음, 이형태와 이음, 형태소와 음소는 각각 대조를 이룬다.

[2] 이형태

(1) 음운적 조건의 이형태

이형태의 교체가 형태소에 대한 언급 없이 순수한 음성적 근거에서 설명할 수 있을 때 이 교체형을 음운적 조건(phonological condition) 또는 자동적 교체(automatic alternation)라 하고, 동일한 형태소가 상이한 음성환경에 의하여 달라지는 이형태를 음운적 조건의 이형태(phonological condition allomorph)라고 한다. 이 경우에 기호 ∽를 사용하여 음운적 조건임을 나타낸다.

한국어에서 음운적 조건의 이형태 예를 들면 다음과 같다.

{-는∽-은} 주제화 표지 형태소

    나는, 너는, 그는   {-는} (모음 다음에)

    사람은, 사랑은, 아들은   {-은} (자음 다음에)

{-이∽-가} 주격표지 형태소

    우리가, 소가, 비가   {-가} (모음 다음에)

    산이, 물이, 사람이   {-이} (자음 다음에)

{-를∽-을} 목적격 표지 형태소

    나를, 너를, 여자를   {-를} (모음 다음에)

    밥을, 물을, 국을   {-을} (자음 다음에)

{-음∽-ㅁ} 명사형 어미 형태소

    먹음, 닫음, 잡음   {-음} (자음 다음에)

    멈춤, 섬(서다), 감(가다)   {-ㅁ} (모음 다음에)

{-은∽-ㄴ} 관형사형 어미 형태소

    읽은(책), 먹은(음식), 잡은(고기)   {-은} (자음 다음에)

    간(사람), 본(사람), 탄(버스)   {-ㄴ}(모음 다음에)

{-을∽-ㄹ} 관형사형 어미 형태소

    일을(책), 먹을(음식), 잡을(고기)   {-을} (자음 다음에)

    갈(사람), 올(사람), 탈(사람)   {-ㄹ} (모음 다음에)

이들 형태소를 구분 짓는 환경에서는 상호 배타적이어서 동일 환경

내에서 이형태 간 상호 교체를 일체 불허한다. 이와 같은 분포를 상보적 분포(相補的 分布, complementary distribution)라 한다. 분포란 어떤 성분이 실현될 수 있는 위치의 총체(totality of position)를 뜻한다.

(2) 형태적 조건의 이형태

어떤 이형태의 분포는 음운적으로 설명할 수 없는 것이 있다. 일련의 특별한 형태소에만 교체가 일어나는 경우가 있다. 이와 같이 이형태가 이러한 방법으로 분포되었을 때, 이 교체형를 형태적 조건(morphological condition) 또는 비자동적 교체라 하고, 형태에 따라 달라지는 이형태를 형태적 조건의 이형태(morphologically conditioned allomorph)라고 한다. 그리고 기호 $\propto$를 사용하여 {-었-$\propto$-였-}와 같이 표시한다.

한국어에서 형태적 조건의 이형태 예를 들면 다음과 같다.

{(-어∞-아)$\propto$(-여/-러)} 부사형어미 형태소
   먹어, 입어, 보아
   하여, 일하여, 노래하여   {하-} 어간 다음에
   이르러, 누르러, 푸르러   {이르(至)-, 누르(黃)-,
                                    푸르(靑)-} 어간 다음에
{(-어라∞-아라)$\propto$(-여라/-거라/-너라)} 명령형어미 형태소
   먹어라, 입어라, 보아라, 잡아라
   하여라, 일하여라, 노래하여라   {하(爲)-} 어간 다음에
   가거라, 돌아가거라, 들어가거라   {가(去)-} 어간 다음에
   오너라, 돌아오너라, 들어오너라   {오(來)-} 어간 다음에
{(-었-∞-았-)$\propto$(-였-/-렀-)} 과거시제 형태소

먹었다, 입었다, 살았다

하였다, 일하였다, 노래하였다　　　{하-} 어간 다음에

이르렀다, 푸르렀다, 누르렀다　　　{이르-,푸르-,누르-} 다음에

1.2. 형태소의 개념과 유형

뜻을 가진 가장 작은 말의 단위를 형태소(morpheme)라고 한다. 즉, 의미의 최소 단위인 형태소는 홀로 설 수 있음과 없음의 자립성 여부에 따라 자립형태소와 의존형태소로 나눌 수 있다. 또한 의미가 실질적인가 형식적인가에 따라 실질형태소와 형식형태소로 나눌 수 있다.

먼저 가장 작은 말의 단위인 형태소로 나누면 다음과 같다.

영수는 산을 보았다. → {영수}, {는}, {산} {을}, {보}, {았}, {다}

(1) 자립형태소와 의존형태소

형태소는 홀로 설 수 있음과 없음의 자립성 여부에 따라 자립형태소인 {영수}, {산}과 자립성이 없고 다른 말에 의존하여 쓰이는 의존형태소 {-는}, {-을}, {보-}, {-았-}, {-다}로 분류된다. 따라서 명사, 대명사, 수사, 관형사, 부사, 감탄사 등은 자립형태소가 될 수 있지만, 동사나 형용사는 자립형태소가 될 수 없다.

(2) 실질형태소와 형식형태소

형태소는 의미가 실질적인가 형식적인가에 따라 실질형태소와 형식형태소로 분류된다. 실질형태소는 그 의미가 실질적인 형태소로

자립형태소와 용언의 어근을 포함하는 것으로 위의 예문에서 {영수},
{산}, {보-}가 해당된다. 형식형태소는 실질형태소에 붙어 말과 말 사
이의 관계를 형식적으로 표시하는 것으로 위의 예문에서 {-는} {-를}
{-았-} {-다}가 해당된다. 실질형태소는 일종의 어휘형태소로 그 기본
형태가 바뀌지 않는 어기이다. 따라서 실질형태소는 자립형태소와 용
언의 어근이 해당된다. 반면에 형식형태소는 체언이나 용언의 어기가
아닌 조사, 어미, 접사 등으로 문법형태소이다.

2. 단어의 형성

단어(word)는 최소의 자립형태소로 띄어쓰기 단위와 일치한다. 따
라서 내부에 휴지를 둘 수 없으며, 그 사이에 다른 말이 들어갈 수
없다. 단어는 최소자립형식으로 자립형태소는 그대로 단어가 된다. 그
리고 의존형태소들의 결합이되 자립성을 발휘하는 것이다. 따라서 자
립형태소에 붙되, 그것과 쉽게 분리되는 의존형태소인 조사도 단어가
될 수 있다. '나-는'과 '바다-를'에서 '는, 를'은 단어가 된다. 그리고
실질형태소인 어근과 형식형태소인 어미가 결합된 '먹다, 먹고' 등을
하나의 단어로 본다.

단어에는 '땅, 하늘, 꽃, 나무, 높다'처럼 단일어(單一語, simple
word)와 둘 이상의 어근이 결합된 합성어(合成語, compound word)
와 어기(語基, base)에 접사(接辭, affix)가 결합된 파생어(派生語,
derived)가 있다. 그리고 합성어와 파생어를 복합어(複合語, complex

word)라 한다. '강산, 집안, 소나무, 밤낮, 어깨동무, 굳세다' 등은 합성어이고, '맏아들, 빛나가다, 풋과일, 부채질, 사람들, 잡히다, 어른스럽다' 등은 접사가 결합된 파생어이다. 하나의 단어에는 파생어와 합성어가 같이 들어 있는 경우가 있다. '해돋이'는 '돋+이(파생어) → 해+돋이(합성어)', '코웃음'은 '웃+음(파생어) → 코+웃음(합성어)', '평화적'은 '평+화(합성어) → 평화+적(파생어)', '시부모'는 '부+모(합성어) → 시+부모(파생어)'이다.

2.1. 파생어

어기(語基, base) 또는 어근(語根, root)[25]의 앞이나 뒤에 접사가 붙어서 만들어진 단어를 파생어라 한다. 어기나 어근의 앞에 붙는 접사는 접두사(接頭辭, prefix), 뒤에 붙는 접사는 접미사(接尾辭, suffix)라고 한다. 어근은 실질적인 의미를 나타내는 부분이고 접사는 어근에 붙어 그 의미를 제한한다.

    파생어= 접두사 + 어기 → 설익다 = 설 + 익다
    파생어= 어기 + 접미사 → 해님 = 해 + 님

> **참고** ── 파생접사와 굴절접사
>
> 어근에 붙어 그 뜻을 더하거나 제한하는 주변 부분을 접사라고 하는데, '치솟다'에서 '치-'처럼 단어 파생에 기여하는 접사를 파생접사(派生接辭, derivational

---

25 어근은 자립형태소가 아닌 것으로 '일-하다, 깨끗-하다' 등처럼 어미와 직접 결합할 수 없지만 일반적으로 어기와 같은 의미로 사용된다.

affix)라 하고, '-다'처럼 문법적 기능을 하는 어미(語尾, ending)를 굴절접사(屈折接辭, inflectional affix)라고 한다. 그리고 '어근+접사'를 어간(語幹)이라 한다.

어근 : 으르렁-
어간 : 으르렁거리-(어근+파생접사)
어미 : -다(굴절접사)
　　　으르렁-거리-다, 훌쩍-대-다, 글썽-이-다, 반짝반짝-하-다,
　　　아름-답-다

(1) 접두사에 의한 파생어: 접두사는 뒤에 오는 어근의 뜻만을 제한하고 품사를 바꾸는 일은 없다. 체언 앞에 오는 접두사는 관형사적 성격을 가지며, 용언 앞에 오는 접두사는 부사적인 성격을 가진다.

　㉠ 한정적(부사성) 접두사: 용언 어근 앞에 붙어서 첨의적 기능을 가지며, 어근의 의미를 제한할 뿐 품사를 바꾸지 못한다.
　'갓-나다, 빗-나가다, 설-익다, 짓-누르다, 치-솟다, 휘-젓다,
　새-빨갛다

　㉡ 관형적 접두사: 명사류의 앞에 붙어서 첨의적 기능을 하는 접두사이다.
　'갓-스물, 개-살구, 날-감자, 덧-신, 돌-배, 들-장미, 맨-손, 숫-총각, 알-
　부자, 애-벌레, 풋-사랑, 홀-아비, 참-기름'

(2) 접미사에 의한 파생어: 접미사는 어근의 뜻을 제한할 뿐만 아니라 어근의 품사를 바꾸기도 하고, 사동, 피동 접미사는 문장 구조와 의미를 바꾸기도 한다.

○ 명사 파생

송-아지, 선생-님, 학생-들, 저-희, 바느-질, 잠-꾸러기, 땜-장이, 가난-뱅이, 마음-씨, 값-어치, 집-웅(지붕), 눈-치, 잎-아리(이파리), 믿-음, 슬-픔, 먹-이, 크-기, 베-개, 막-애(마개), 묻-엄(무덤), 맞-웅(마중)

○ 동사 파생

놓-치-다, 먹-히-다, 울-리-다, 깨-뜨리-다, 위반-하다 : 밝-히-다, 낮-추-다 : 출렁-거리-다, 반짝-이-다, 먹-이-다, 입-히-다, 알-리-다, 웃-기-다, 재-우-다, 달-구-다, 맞-추-다 : 보-이-다, 업-히-다, 들-리-다, 감-기-다

○ 형용사 파생

높-다랗-다, 차-갑-다, 학생-답-다, 슬기-롭-다, 사랑-스럽-다

○ 부사 파생

없-이, 급-히, 곳곳-이, 가만-히, 비로-소, 맵-우(매우), 힘-껏, 진실-로, 참-아(차마), 끝-내, 쉽-사리

2.2. 합성어

합성어는 둘 이상의 어근이 결합된 단어이다. 합성어의 유형에는 통사적 합성어와 비통사적 합성어가 있다. 전자는 자립을 지닌 두 단어가 결합된 합성어로 한국어의 일반적인 단어 배열과 같은 유형의 합성어이다. 그리고 후자는 자립성이 없는 두 어근이 결합된 합성어로 한국어의 일반적 단어 배열에 어긋나는 합성어이다.

(1) 합성어의 갈래

① 통사적 합성어

우리말의 일반적인 단어 배열로 첫째, 체언(명사)의 합성어로 '명사 +명사'(돌다리, 집안, 눈물, 밤낮), '관형사+명사'(새해, 첫사랑, 이승), '관형사형+명사'(작은형, 큰집, 군밤, 젊은이)가 있으며, 둘째로 부사의 합성어로 '부사+부사'(더욱더, 곧잘, 울긋불긋, 철썩철썩)가 있다. 그리고 셋째로 용언의 합성어로 '주어+서술어'(동사 : 힘들다, 재미나다, 맛들다, 정들다, 형용사 : 낯설다, 값없다, 배부르다, 재미있다), '목적어+서술어'(힘쓰다, 애쓰다, 노래부르다), '부사어+서술어'(앞서다, 뒤서다, 마주서다, 가로지르다, 앞세우다, 손쉽다), '본동사+연결어미+보조동사'(알아보다, 돌아가다, 찾아보다, 살펴보다, 들어가다, 걸어가다, 흘러가다)를 들 수 있다.

② 비통사적 합성어

우리말 어순과 맞지 않는 합성어로 우선, 체언인 명사의 합성어로 '용언 어근+명사'(늦잠, 누비옷, 들것, 접칼, 검버섯), '부사+명사'(산들바람, 부슬비, 척척박사, 촐랑새)가 있다. 다음으로 용언의 합성어로 '어근+어근'(동사: 오르내리다, 날뛰다, 여닫다, 듣보다, 형용사: 검푸르다, 높푸르다, 굳세다)를 들 수 있다.

③ 두 어기 성분 사이의 관계에 따른 합성어

병렬합성어, 수식합성어, 융합합성어로 분류된다.

⊙ 병렬합성어 : 두 어기의 대등한 결합으로 이루어진 합성어

　　'마소, 손발, 앞뒤, 오르내리다'

⊙ 수식합성어 : 앞의 어기가 뒤의 어기에 영향을 주는 합성어

　　'물굽이, 부삽, 소나무, 안집, 속옷'

⊙ 융합합성어 : 두 어기의 결합으로 전혀 다른 의미를 갖는 합성어

　　'밤낮, 나들이, 손위, 큰집, 돌아가다'

(2) 합성어와 파생어의 구별

　합성어는 어기와 어기의 결합으로 대등한 결합이다. 예를 들어 '돌다리'의 경우 '돌로 만든 다리'의 의미이므로 합성어이다. 또한 '높푸르다'는 '높다'와 '푸르다'의 결합으로 '높고 푸르다'의 의미이므로 합성어가 된다. 그러나 '첫사랑'의 경우 '처음으로 느끼거나 맺은 첫 번째 사랑'이라면 합성어이고, '어설픈 풋사랑'의 의미라면 파생어이다. 전자의 '첫'은 관형사이지만, 후자의 '첫'은 접두사이다.

　형태적으로는 어기와 어기의 결합인 합성어이지만 의미적인 면에서 의미 전이가 일어난다면 이는 파생어로 볼 수 있다. 예를 들어 '큰형'의 경우 '크다'와 '형'의 결합으로 합성어이지만 그 의미는 '형이 크다'의 의미가 아니라 '맏형'의 의미이므로 파생어로 볼 수 있는 것이다.

3. 품사

공통된 성질을 지닌 단어끼리 모아놓은 단어의 갈래를 품사(品詞, parts of speech)라고 한다. 한국어 품사의 갈래는 다음과 같다.

(1) 불변어(不變語): 형태가 변하지 않는 단어로 한국어의 경우에 명사, 대명사, 수사, 관형사, 부사, 감탄사, 조사 등이 이에 해당된다.
  ① 체언: 문장에서 주어 따위의 기능을 하는 명사, 대명사, 수사가 있다.
  ② 수식언: 뒤에 오는 말을 수식하거나 한정하기 위하여 첨가하는 관형사와 부사를 통틀어 이르는 말로 활용하지 않는다.
  ③ 독립언: 독립적으로 쓰이는 말로 감탄사가 해당된다.

(2) 가변어(可變語): 형태가 변하는 단어로 한국어의 경우에 동사와 형용사, 서술격 조사 '이다'가 이에 해당된다.
  ① 용언: 문장에서 서술어의 기능을 하는 동사, 형용사를 통틀어 이르는 말로 문장 안에서의 쓰임에 따라 본용언과 보조 용언으로 나눈다.
  ② 서술격조사: 문장 안에서, 체언이나 체언 구실을 하는 말 뒤에 붙어 서술어 자격을 가지게 하는 격 조사로 '이다'가 있다. '이며', '이고', '이니', '이므로' 등처럼 활용하며, 모음 아래에서는 어간 '이'가 생략되기도 한다.

3.1. 체언 : 명사, 대명사, 수사

체언(體言)은 문장에서 주로 주어의 자리에 오며, 조사와 결합한다.

때로는 목적어나 보어의 자리에도 올 수 있으며, 체언에는 명사, 대명사, 수사가 있다. 이들은 일반적으로 형태의 변화가 없다.

[1] 명사

사물의 명칭을 표시한 단어의 묶음을 명사(名詞)라 한다. 명사에는 고유성의 여부에 따라 고유명사(固有名詞)와 보통명사(普通名詞)로 나눈다. 고유명사는 특정한 사람이나 물건에 대한 이름을 나타내며, 보통명사는 같은 사물에 두루 쓰이는 명사이다. 또한, 자립성의 여부에 따라 자립명사(自立名詞)와 의존명사(依存名詞)로 나눈다. 자립명사는 다른 말(관형어)의 도움을 받지 않고 쓰이는 명사이며, 의존명사는 다른 말(관형어)에 기대어 쓰이는 명사이다. 그리고 유정성(有情性)의 유무에 따라 유정명사(有情名詞)와 무정명사(無情名詞)로 나눈다. 유정명사는 사람이나 동물을 가리키는 명사이며, 무정명사는 식물이나 무생물을 가리키는 명사이다.

의존명사는 자립성이 없는 명사로 반드시 그 앞에 관형어가 있어야만 문장에 쓰일 수 있어 불완전명사(不完全名詞)라고도 한다. 그렇지만 관형어의 꾸밈을 받는 체언 자리에 오므로 단어로 인정한다. 의존명사의 종류를 들면 다음과 같다.

① 보편성 의존명사: 모든 성분으로 두루 쓰이는 의존명사(분, 이, 것, 데).
② 주어성 의존명사: 주어로만 쓰이는 의존명사(지, 수, 리 등).
③ 서술성 의존명사: 서술어로만 쓰이는 의존명사(따름, 뿐, 터 등).

④ 부사성 의존명사: 부사어로 쓰이는 의존명사(대로, 양, 듯, 체, 척, 만큼, 채, 뻔, 줄 등).

⑤ 단위성 의존명사: 앞에 오는 명사의 수량을 단위의 이름으로 가리키는 의존명사(개, 분, 마리, 말, 섬, 자루, 그루, '집 한 채' 등).

참고 ─의존명사와 조사─

의존명사와 조사는 문장에서 그 쓰임에 따라 달라진다. ①의 예문처럼 관형사형 어미의 수식을 받으면 의존명사이고, ②의 예문처럼 체언에 붙으면 조사이다.

① 나는 영희를 좋아할 <u>뿐</u>이다. ② 영수가 좋아하는 사람은 영희<u>뿐</u>이다.
① 너는 본 <u>대로</u> 느낀 <u>대로</u> 말하면 된다. ② 이 일은 약속<u>대로</u> 처리한다.
① 애쓴 <u>만큼</u> 얻는 법이다. ② 나는 바다<u>만큼</u> 너를 좋아한다.

---

[2] 대명사

대명사(代名詞)는 말 그대로 명사를 대신한다는 의미이다. 즉, 사람, 장소, 사건의 내용 등을 대신하여 쓰이는 단어들의 묶음을 뜻하는 것으로 대명사의 종류에는 인칭대명사(人稱代名詞)와 지시대명사(指示代名詞)가 있다.

① 인칭대명사: 1인칭(나, 저, 우리, 저희, 소인), 2인칭(너, 자네, 그대, 당신, 여러분, 임자, 자기), 3인칭 대명사(그, 그분, 저분, 이분, 이이, 그이, 저이), 미지칭대명사(누구), 부정칭대명사(아무) 등이 있다.

② 지시대명사: 사물대명사(이것, 그것, 저것, 무엇), 처소대명사(여기, 저기, 거기, 어디) 등이 있다.

③ 재귀대명사: 3인칭 주어로 쓰인 명사나 명사구를 다시 가리키는 데에 쓰인다.

영수는 저밖에 모른다.
이 물건은 선친(先親)께서 물려 주신 건데, 당신이 무척 아끼시던 물건이다.

(1) 인칭대명사

한국어는 높임법이 발달한 언어로 인칭대명사도 높임의 정도에 따라 아주낮춤, 예사낮춤, 예사높임, 아주높임이 있다. 인칭대명사가 복수를 나타낼 때는 '-들'이 붙거나 다른 형태의 단어를 사용한다.

구분	단수				복수			
	아주 낮춤	예사 낮춤	예사 높임	아주 높임	아주 낮춤	예사 낮춤	예사 높임	아주 높임
1인칭	저	나			저희 (들)	우리		
2인칭	너	자네 그대	당신 그대		너희 (들)	자네들 그대들	당신들 그대들	
3인칭	이(그, 저)놈		이(그, 저)분		이(그, 저)놈 (들)		이(그, 저)분 (들)	

> **참고** — '내'와 '우리'
>
> '우리'는 단순히 '나'의 복수만을 뜻하지는 않는다. 예를 들어 한국 사람들은 '내 나라, 내 집, 내 아버지' 보다는 '우리나라, 우리 집, 우리 아버지'를 많이 사용한다. 왜냐하면 한국 사람들의 의식 속에는 '나'라는 개인을 주장하기보다는 가족이나 집단을 생각하는 공동체 의식이 강하기 때문이다.

(2) 지시대명사

지시대명사는 사물이나 장소를 대신 가리키는 것으로. 화자(말하는 이)와 청자(듣는 이)의 거리에 따라 지칭이 달라진다.

	사물	장소
화자에게 가까운 것	이것	여기
청자에게 가까운 것	그것	거기
화자와 청자 모두에게 먼 것	저것	저기
모르는 사물이나 장소	무엇, 어느 것	어디

그리고 구어에서는 조사와 결합하여 축약형으로 많이 사용한다.

이것이	이게	여기는	여긴
그것이 ⇒	그게	거기는 ⇒	거긴
저것이	저게	저기는	저긴

이것은	이건	여기를	여길
그것은 ⇒	그건	거기를 ⇒	거길
저것은	저건	저기를	저길

이것을	이걸	무엇이	뭐가
그것을 ⇒	그걸	무엇을 ⇒	무얼, 뭘
저것을	저걸	어디를	어딜

[3] 수사

수사(數詞)는 사물의 수량이나 순서를 가리키는 체언의 일종이다. 수사의 종류로 양수사(量數詞)와 서수사(序數詞)가 있다.

① 양수사: 수량을 가리키는 수사(하나, 둘, 셋, 일, 이, 삼 등)이다.

② 서수사: 순서를 가리키는 수사(첫째, 둘째, 셋째, 제일, 제이, 제삼 등)이다.

③ 수사와 수관형사

　㉠ 수사는 조사와 결합하지만, 수관형사는 조사와 결합하지 않는다. '하나 상징, 천 얼굴'에서 '하나, 천'은 '하나의 상징, 천의 얼굴'에서처럼 조사와 결합이 가능하므로 수사이지만 '천 사람, 아홉 켤레'에서 '천, 아홉'은 조사와 결합하지 않으므로 수관형사이다.

　㉡ 수사는 체언이지만 '*새 하나, *젊은 둘'처럼 관형어의 수식을 받지 않으며, '*하나들, *셋들'처럼 '-들'의 접미사와 결합하지 않는다.

3.2. 관계언 : 조사

주로 체언 뒤에 붙어서 다양한 문법적 관계를 나타내거나 특별한 뜻을 더해 주는 관계사를 조사(助詞)라고 한다. 조사는 형태상으로 활용하지 않지만, 서술격 조사는 활용한다. 그리고 의미상으로 격조사와 접속조사는 구체적인 의미가 없으나 보조사는 구체적인 의미가 있다.

[1] 격조사

한 문장에서 선행하는 체언으로 하여금 일정한 자격을 갖도록 해 주는 조사를 격조사(格助詞)라고 한다. 격조사에는 주격조사(이/가,

께서(높임), 에서(단체), 서(사람 수 '혼자서'), 서술격조사(이다), 목적격조사(을/를), 보격조사(이/가), 관형격조사(의), 호격조사(아/야, (이)여, (이)시여)가 있다. 그리고 부사격 조사가 있는데, 처소(에, 에서, 한테, 께, 에게); 도구(로써, 로); 자격(로, 로서); 지향점(로, 에); 원인(에); 시간(에); 소재지(에); 낙착점(에, 에게<유정명사>); 출발점(에서, 에게서, 한테서); 비교(처럼, 만큼, 대로, 하고, 와/과, 보다); 인용(고, 라고) 등이 있다.

> **참고** — 이다
>
> 선행하는 체언이 문장 안에서 일정한 자격을 갖추도록 하는 격조사의 기능을 갖는 것으로 체언이 서술어로서의 자격을 갖도록 한다. 또한, 다른 격조사들은 그 형태가 고정되어 있으나 서술격 조사는 '이고, 이며, 이니, 이다' 등 활용한다.

[2] 접속조사

두 단어를 같은 자격으로 이어주는 조사를 접속조사(接續助詞)라고 하며, '과/와, (에)다, (하)고, (이)며, 랑' 등을 들 수 있다.

나는 엄마와 아빠를 좋아한다.
철수와 영희는 골목길에서 마주쳤다.
이것과 저것은 다르다.
시험이고 뭐고 다 그만 두어라.
감이며 사과며 갖가지 과일을 사왔다.
영수랑 순이랑 함께 도서관에 갔다.

[3] 보조사

체언, 부사, 활용 어미 따위에 붙어서 어떤 특별한 의미를 더해 주는 조사를 보조사(補助詞)라 한다. '은', '는', '도', '만', '까지', '마저', '조차', '부터' 따위가 있다. 앞말에 특별한 뜻을 더하는 조사로서, 말하는 이의 어떤 생각이 전제되었을 때 쓰인다.

'은/는(주제, 대조); 만, 뿐(단독, 한정); 부터(시작); 밖에(한계선, 더없음); (이)나, (이)든지, (이)라도(선택); 나(대강, 어림); 나마(불만, 덜참); 야말로(특별, 강조); 커녕(고사, 그만두기); 도(첨가, 동일); 까지(도급, 미침); 조차(최종, 더함); 마저(종결, 끝남); 대로, 같이(같음); 서껀(섞여 있음)'

또한, 보조사는 (가)의 예문처럼 부사나 (나)의 예문처럼 용언의 보조적 연결어미 뒤에 쓰이기도 한다.

가. 배가 잘도 간다.
나. 그 음식을 먹어는 보았다.

> **참고** ─ 이/가(격조사) : 은/는(보조사) ─
>
> 영수가 집에 갔다 : 영수는 집에 갔다.(다른 사람에 비해)
> 산이 높다 : 산은 높고, 바다는 넓다.(산과 바다 비교)
> 여기에서는 그런 일이 없다.(여기서만은)

3.3. 용언 : 동사, 형용사

문장의 주어를 서술하는 기능을 가진 말들을 용언(用言)이라 한다.
문장에서 서술어의 기능을 하는 동사, 형용사를 통틀어 이르는 말이
며, 용언은 어미 '-다'가 붙는 기본형을 갖는다. 문장 안에서의 쓰임에
따라 본용언(本用言)과 보조용언(補助用言)으로 나눈다.

[1] 동사

문장의 주어가 되는 말의 움직임을 나타내는 단어의 부류를 동사(動
詞)라고 한다. 동사에는 '가다, 걷다, 살다, 놀다'처럼 움직임이 그 주
어에만 관련되는 자동사(自動詞)와 '먹다, 입다, 잡다'처럼 움직임이
목적어에 미치는 타동사(他動詞)가 있다.

[2] 형용사

문장의 주어가 되는 말의 성질이나 상태를 나타내는 단어의 부류를 형용사(形容詞)라고 한다. 사물의 성질이나 상태를 나타내는 품사로 활용할 수 있어 동사와 함께 용언에 속한다. 형용사에는 '곱다, 달다, 아름답다, 향기롭다'처럼 성질이나 상태를 나타내는 성상형용사(性狀形容詞)와 '이러하다, 그러하다, 저러하다'처럼 지시성을 띤 지시형용사(指示形容詞)가 있다.

[3] 동사와 형용사의 차이

① 동사는 '간다, 먹는다, 늙는다' 등처럼 '-ㄴ(는)다'의 현재형어미와 결합할 수 있지만, 형용사는 '*예쁜다, *아름답는다, *젊는다' 등처럼 결합하지 못한다.

② 동사는 '일어나는'의 관형사형어미 '-는'과 결합하여 체언을 수식하지만, 형용사는 '*높는 하늘'처럼 결합하지 못한다.

③ 동사는 '잡아라, 먹어라'에서처럼 명령형어미 '-어(아)라'와 '먹자, 가자'에서처럼 청유형어미 '-자'와의 결합이 가능하나 형용사는 그렇지 못하다.

④ 동사는 '-려'(의도)나 '-러'(목적)와 결합이 가능하지만, 형용사는 그렇지 못하다.

   예) 공을 차려 한다, 책을 사러 간다. *아름다우려 한다. *예쁘러 화장을 한다.

[4] 보조용언

문장에서 의미의 중심이 되는 용언으로서 스스로 자립하여 실질적인 의미를 나타내는 용언을 본용언이라 하고, 단독으로 쓰일 수 없고 반드시 다른 용언의 뒤에 붙어서 그 의미를 더하여 주는 용언을 보조용언이라 한다. 보조용언에는 동사처럼 활용하는 보조동사와 형용사처럼 활용하는 보조형용사가 있다.

(1) 보조동사

① 부정: (-지) 아니하다, 말다, 못하다

② 사동: (-게) 하다, 만들다

③ 피동: (-어) 지다, 되다

④ 진행: (-어) 가다, 오다, (-고) 있다

⑤ 종결: (-어) 나다, 내다, 버리다

⑥ 봉사: (-어) 주다, 드리다

⑦ 시행: (-어) 보다

⑧ 강세: (-어) 대다

⑨ 보유: (-어) 두다, 놓다

(2) 보조형용사

① 희망: (-고) 싶다

② 부정: (-지) 아니하다, 못하다

③ 추측: (-는가,-나) 보다

④ 상태: (-어) 있다

보조동사와 보조형용사는 본용언의 품사에 따라 결정된다. '가지 못하다'(동사), '곱지 못하다'(형용사). 그리고 선어말어미 '-는-/-ㄴ-'이 붙을 수 있으면 보조동사이고, 그렇지 못하면 보조형용사다. '책을 읽어 본다'(동사) '책을 읽는가 보다'(형용사).

[5] 용언의 활용과 유형

용언이 일정한 문법적 관계를 표시하기 위하여 어간에 어미를 여러 가지로 바꾸는 현상을 활용(活用)이라고 한다. 활용의 유형에는 종결형(문장을 끝맺는 활용형), 연결형(문장을 연결시켜주는 활용형), 전성형(문장의 기능을 전성시키는 활용형)이 있다. 그리고 활용할 때 어간이나 어미의 모습이 달라지는 경우가 있다. '굽다'는 '굽고, 굽어, 굽으니'로 활용해도 어간이 바뀌지 않는 규칙 활용과 '아름답다'의 '아름다워, 아름다우며'처럼 활용할 때 어간이나 어미의 기본형태가 달라지는 경우의 불규칙 활용이 있다.

(1) 종결형: 문장을 끝맺는 활용형

① 평서형: 민규가 집에 <u>간다.</u>
② 의문형: 민규아, 집에 <u>가니?</u>
③ 명령형: 민규야, 집에 <u>가라.</u>
④ 청유형: 민규야, 집에 <u>가자.</u>
⑤ 감탄형: 민규가 집에 <u>가는구나!</u>

(2) 연결형: 문장을 연결시키는 활용형

① 대등적 연결: 철수는 공부를 <u>하고</u> 잠을 잔다.
② 종속적 연결: 봄이 <u>오면</u> 꽃이 핀다.
③ 보조적 연결: 순이는 고향에 <u>가게</u> 되었다.

(3) 전성형: 문장의 기능을 변화시키는 활용형

① 명사형: 그 사람은 <u>예술가임</u>이 밝혀졌다.
② 부사형: 꽃이 <u>아름답게</u> 피었다.
③ 관형사형: <u>예쁜</u> 꽃이 피었다.

[6] 규칙과 불규칙 활용

활용할 때 어간이나 어미의 모습이 달라지는 경우가 있는데, 활용해도 어간이 바뀌지 않는 규칙 활용과 활용할 때 어간이나 어미의 기본 형태가 달라지는 불규칙 활용이 있다.

(1) 규칙 활용: 활용해도 어간이 바뀌지 않는 경우이다.

먹다, 먹고, 먹어, 먹으니, 먹으면, 먹어서

① '으' 탈락
'으'로 끝나는 어간은 예외없이('러'불규칙 용언은 제외) 모음으로 된 어미 '-어/아 앞에서 모음 충돌을 막기 위해 '으'가 탈락된다.

쓰어 → 써, 끄어 → 꺼, 따르아 → 따라, 바쁘아 → 바빠
아프아 → 아파, 기쁘어 → 기뻐

② '르' 탈락

'르'탈락의 경우도 규칙 활용으로 본다. '르'받침을 가진 말이 음운 'ㄴ, ㄹ, ㅂ'과 '시', '오' 앞에서 'ㄹ'이 탈락된다. 이와 같은 동사로 '울다, 살다, 알다, 돌다, 떨다, 멀다, 날다' 등이 있다.

울+는→우는, 울+ㄴ→운, 울+ㄹ→울,

울+ㅂ니다→웁니다, 울+시니→우시니, 울+오→우오

(2) 불규칙 활용

활용할 때 어간이나 어미의 기본 형태가 달라지는 경우로 'ㅅ'불규칙, 'ㄷ'불규칙, 'ㅂ' 불규칙, '르' 불규칙, '여'불규칙, '러'불규칙, 'ㅎ' 불규칙 등이 있다.

불규칙의 갈래에는 어간의 바뀜, 어미의 바뀜, 어간과 어미의 바뀜이 있다.

① 어간의 바뀜

종류	조건		용례
'ㅅ'불규칙	- 어간 말음 ㅅ + 어미(모음) → ㅅ탈락 - 집을 짓(다) + 고 → 짓고 　　　　　 + 어서 → 지어서	규칙	웃다, 벗다, 빗다, 솟다, 씻다
		불규칙	짓다, 잇다, 긋다, 낫다
'ㄷ'불규칙	- 어간 말음 ㄷ + 어미(모음) → ㄹ - 길을 걷(다) + 고 → 걷고 　　　　　 + 어서 → 걸어서	규칙	닫다, 믿다, 받다, 얻다, 묻다
		불규칙	걷다, 깨닫다, 듣다, 묻다, 싣다

		규칙	잡다, 입다, 굽다(등이)
'ㅂ'불규칙	- 어간 말음 ㅂ + 어미(모음) → 오/우 - 날씨가 덥(다) + 고 → 덥고 + 어서 → 더워서	불규칙	덥다, 돕다, 눕다, 굽다(빵을), 춥다
'르' 불규칙	- 어간 말음 르 + 어미(모음) → '으'탈락, 어간에 ㄹ생김 - 물이 흐르(다) +어서→ 흘+ 어서 → 흘르+어서 → 흘러서	규칙	치르다, 따르다, 들르다
		불규칙	빠르다, 가르다, 고르다, 모르다
'우' 불규칙	- 어간 말음 우 + 어미(모음) → 탈락 - 밥을 푸(다) + 고 → 푸고 + 어서 → 퍼서	푸다	

② 어미의 바뀜

종류	조건	용례
'여'불규칙	- 어간 '하' + 아/어 → 여 - 공부하(다) + 고 → 공부하고 +아 → 공부하여	'하다'와 '-하다'가 결합한 모든 용언
'러'불규칙	- 어간 말음- + 아/어 → 러 변화 - 하늘이 푸르(다) + 고 → 푸르고 +어 → 푸르러	푸르다, 누르다, 이르다
'너라'불규칙	- 어간 '오' + 아라/어라 → 너라 - 이리 오(다) + 어라 → 오너라	오다

③ 어간과 어미의 바뀜

종류	조건	용례
'ㅎ'불규칙	- 어간 말음 'ㅎ아/어 → 어간 ㅎ탈락, 어미 변화 → 개나리는 노랗(다) + 고 → 노랗고 + 아 → 노래 + ㄴ → 노란	'ㅎ'받침의 용언인 '까맣다, 하얗다, 이렇다, 그렇다, 저렇다' 등

3.4. 수식언 : 관형사, 부사

관형사와 부사처럼 다른 말을 수식하는 기능을 가진 말을 수식언(修飾言)이라 한다. 관형사는 체언 앞에서 주로 명사를 꾸며 주며, 부사는 용언이나 문장을 수식하는 기능을 한다.

[1] 관형사

관형사(冠形詞)는 체언 앞에 놓여서 그 내용을 자세하게 꾸며주는 수식어로서 어미변화를 하지 않는 불변화사다. 그리고 관형사에는 조사가 붙지 않는다. 관형사에는 성상관형사, 지시관형사, 수관형사가 있다.

① 성상관형사: 체언이 가리키는 사물의 성질이나 상태를 꾸며주는 관형사로 '새, 헌, 첫' 등.
② 지시관형사: 지시성을 띠는 관형사로 '이, 그, 저, 어떤, 무슨, 다른' 등.
③ 수관형사: 명사의 수량이나 순서를 표시하는 관형사로 '한, 두, 세, 첫째, 둘째, 제일, 제이' 등.

참고 ── 관형사 및 용언의 관형사형 ──────────────

관형사는 '새, 헌, 첫, 다른, 이, 그, 저, 한, 두, 세' 등을 들 수 있다. 그러나 용언의 관형사형은 동사나 형용사의 어간에 관형사형 어미 '-는, -(으)ㄴ, -(으)ㄹ' 등과 같이 어미가 결합된 형식이다. 관형사와 관형사형 어미 모두 체언을 수식하는 문장 성분인 관형어이다. 아래 예문에서 ①의 '첫'과 '새'는 관형사이고, ②,③은 용언의 관형사형으로 품사는 동사와 형용사이다.

  예) ① 순이는 <u>첫</u> 학기라 <u>새</u> 마음으로 등교하였다.
   ② <u>달아나는</u> 도둑을 <u>발견한</u> 경찰은 곧 그를 <u>체포할</u> 것이다.
   ③ <u>낮은</u> 들과 <u>높은</u> 산을 거쳐 정상에 도착했다.

아래 예문 ①에서 앞의 '다른'은 '他(other)'의 의미로 관형사로 굳어진 것이지만, 뒤의 '다른'은 '다르다(different)'의 의미로 용언의 관형사형이다. 따라서 전자의 품사는 관형사이지만, 후자의 품사는 형용사이다. 그리고 예문 ②에서 '갖다'는 '가지다'의 준말이지만, '갖은'의 뜻은 '골고루 다 갖춘', 또는 '여러 가지의'로 품사는 관형사이다.

  ① <u>다른</u> 나라에서 유입된 문화는 우리 전통 문화와는 <u>다른</u> 점이 있다.
  ② <u>갖은</u> 양념을 넣어 만든 음식이라 맛있다. <u>갖은</u> 노력을 다하다

---

[2] 부사

부사(副詞)는 주로 용언(동사나 형용사)이나 문장을 꾸밈으로써 그 의미를 더욱 명확하게 한다. 어미활용을 하지 못하는 불변화사이다. 부사는 문장에서의 역할에 따라 성분부사와 문장부사로 나뉜다.

(1) 성분부사

문장의 한 성분을 수식하는 부사로 성상부사('어떻게'의 방식으로 꾸며주는 부사 : 날씨가 <u>매우</u> 차다), 의성·의태부사('철썩철썩, 울긋

불긋'처럼 소리와 모양을 흉내내는 부사), 지시부사(방향·거리 등을 지시하는 부사 : <u>이리</u> 오너라), 부정부사(용언의 의미를 부정하는 부사 : <u>못</u> 보았다, <u>안</u> 간다)가 있다.

(2) 문장부사

문장 전체를 수식하는 부사로 양태부사(말하는 이의 태도를 표시하는 부사 : <u>설마</u> 거짓말이야 하겠느냐?), 접속부사(앞의 문장을 뒤의 문장에 이어주면서 뒤의 말을 꾸며주는 부사 : 지구는 돈다. <u>그러나</u> 아무도 믿지 않았다)가 있다.

(3) 부사의 기능

부사는 용언(동사, 형용사)이나 문장을 수식함으로써 그 의미를 분명하게 하는 주된 기능을 갖는다. 그러나 몇 가지 부수적인 기능도 있다.

철수는 <u>매우</u> 부자다.(명사 수식)
영희는 <u>겨우</u> 하나를 먹었다.(수사 수식)
아버지는 <u>아주</u> 새 차를 사셨다.(관형사 수식)
<u>여기</u> 앉아라.(지시부사로 대명사적 용법)

부사는 수식 기능이 없는 경우도 있다.

비행기 <u>또는</u> KTX로 가는 것이 좋다.
영미는 집에 갔다. <u>그러나</u> 나는 도서관에 갔다.

수식어의 기능으로 부사형어미에 의한 부사어가 있다. 아래 예문의 '높게, 닳도록'은 용언을 수식하지만 부사가 아니라 '형용사'와 '동사'이다. '-게, 도록'은 품사를 전성시키지 못하는 부사형어미이기 때문이다.

비행기가 <u>높게</u> 떴다.
철수는 눈만 뜨면 신이 다 <u>닳도록</u> 돌아다닌다.

그러나 다음 예문 '높이, 빨리, 고이' 등은 부사이다. 이는 '높다, 빠르다, 곱다' 등의 형용사에서 부사로 품사를 전성시키는 부사화 접미사 '-이'와 결합하였기 때문이다.

비행기가 아주 <u>높이</u> 떴다.
집에 <u>빨리</u> 가야 한다.
소녀는 머리를 매만져서 <u>고이</u> 빗었다.

3.5. 독립언 : 감탄사

독립언(獨立言)은 독립적으로 쓰이는 감탄사를 이르는 말이나, 독립언에는 감탄사 외에도 '영순아'처럼 체언에 호격조사가 붙는 경우와 '청춘, 이는 듣기만 하여도'처럼 제시어를 내포한다. 감탄사는 화자의 부름, 말하는 이의 본능적 놀람이나 느낌을 표시하는 품사로 형태가 변하지 않으며, 놓이는 위치가 비교적 자유롭다.

<u>여보</u>, 눈이 왔어요.
<u>아</u>, 세월이 너무 빨라요.
<u>네</u>, 그래요.

제4장

한국어의 문장론

1. 문장의 성분

　문장은 주어부와 서술부를 갖는데, 주어부는 문장에서 주어와 그에 딸린 부속성분을, 서술부는 문장에서 서술어와 그에 딸린 부속성분 및 목적어와 보어를 갖는다. 문장을 구성하면서 일정한 문법적 기능을 하는 요소를 문장 성분이라 한다. 한국어 문장을 이루는 성분에는 주성분, 부속성분, 독립성분이 있다. 주성분은 문장을 이루는 필수성분으로 '주어, 목적어, 보어, 서술어'가 있다. 부속성분은 주성분의 내용을 수식하는 것으로 '관형어, 부사어'가 있다. 그리고 주성분이나 부속성분에 직접적인 관계가 없이 문장에서 따로 떨어져 독립해 있는 독립성분인 '독립어'가 있다.

1.1. 주성분

[1] 주어

주어(主語)는 문장의 주체를 나타내는 말로, 기본 문장에서 '무엇이, 누가'에 해당하는 필수 성분이다. 주로 체언이나 명사구, 명사절에 주격조사 '이/가'가 결합하여 주어가 될 수 있다. 이때 (다)처럼 주격조사가 생략될 수도 있고, (라)처럼 보조사가 붙을 수도 있다.

① 체언 + 주격조사(이/가)
가. 민수가 학교에 간다.
나. 강이 아름답다.
다. 너 어디 가니?
라. 영이도 학교에 가요.

② 명사구 + 주격조사(이/가)
새 차가 아저씨의 것이다.

③ 명사절 + 주격조사(이/가)
사막에는 비가 오기가 쉽지 않다.

④ 높임의 명사 + 주격조사(께서)
할아버지께서 지난 주말에 오셨다.

⑤ 단체 무정명사 + 주격조사(에서)
우리 학교에서 우승을 했다.

구: 중심이 되는 단어와 그것에 부속되는 단어를 한데 묶은 언어 형식으로 주
어와 서술어 관계가 이루어지지 않는다.

나의 꿈은 한국어 선생님이 되는 것이에요.

절: 두 개 이상의 어절이 모여 하나의 의미 단위를 이룬다는 점에서 구와 비슷
하다. 절은 따로 독립하면 문장이 되는 구성이면서 완전히 끝나지 않고,
다만 문장 속의 어떤 성분으로 안겨 있는 언어 형식을 말한다. '주어＋서술
어'의 형식을 갖고 있다는 점에서 구와 구별되고, 더 큰 문장 속에 들어 있
다는 점에서 문장과 구별된다.

나는 주영이가 축구선수임을 알고 있다.
부모님은 내가 귀국한 사실을 모르신다.
길이 눈이 와서 미끄럽다.

[2] 서술어

서술어(敍述語)는 주어의 동작, 상태, 성질 따위를 풀이하는 기능을
가진 문장 성분으로 기본문장에서 '어찌하다, 어떠하다, 무엇이다'에
해당하는 말이다. 서술어는 '동사(가), 형용사(나), 체언＋서술격 조사
(다), 본용언＋보조용언(라)'의 종결어미로 나타나는 것이 일반적이다.

가. 아기가 웃는다. 아기가 운다.
나. 하늘이 높다. 바다가 넓다.
다. 영호는 학생이다.
라. 문제를 풀어 보았다. 드디어 알게 되었다.

[3] 목적어

목적어(目的語)는 문장에서 '무엇을'에 해당하는 것으로, 다음 예문 (가)의 '한국어를'의 체언이나 (나)의 예문의 명사구 '새 차를'이나, (다)의 '그녀가 학생임을'처럼 명사절에 목적격 조사 '-을/를'을 붙여 쓴다. 한국어에서 목적어는 보통 주어 뒤에, 서술어 앞에 위치한다.

가. 응웬은 한국어를 잘한다.
나. 아버지는 새 차를 사셨다.
다. 나는 그녀가 학생임을 알았다.

또한, 목적어는 (가)처럼 목적격 조사 없이도 쓸 수 있고, (나)처럼 목적격 조사 대신 보조사가 쓰일 수 있으며, (다)처럼 보조사와 목적격 조사가 같이 쓰일 수도 있다.

가. 아이쿨은 한국어 잘해요.
나. 그녀는 꽃도 좋아해요.
다. 그는 꽃만을 좋아해요.

[4] 보어

보어(補語)는 서술어의 의미를 보충해 주는 말로, 서술어 '되다, 아니다' 앞에 나타나는 필수 성분으로 보격조사 '이/가'가 붙어 보어를 이룬다.

영미는 학생이 아니다.
물이 얼음이 되었다.

그런데 다음 예문의 경우 보어의 기능을 갖는다. 그런데 보어가 아닌 것은 (가)의 '학생-은', (나)의 '얼음-으로' 조사가 '이, 가'가 아니기 때문이다. 그렇다고 이를 보어로 인정한다면 보격조사를 확대해야 하므로 부사격 조사와 충돌을 가져 격조사의 혼란을 초래할 수 있다.

　　가. 영미는 <u>학생은</u> 아니다.
　　나. 물이 <u>얼음으로</u> 되었다.

　　보어의 조사는 주격조사와 동일하다. 그렇다면 주격조사와 보격조사를 구분하는 방법은 무엇인가? 다음 예문에서처럼 서술어의 자릿수로 구분할 수 있다.

　　가. <u>철수가</u> 바보다.
　　나. (철수는) <u>바보가</u> 아니다.

　　(가)의 예문에서 '철수가'는 주어이다. 그 이유는 서술어 '바보다'가 필수 성분을 필요로 하는 것은 주어 하나이므로 1자리 서술어이다. 그러나 (나)의 서술어 '아니다'는 누가 바보인지를 필요로 한다. 즉, 필수성분인 주어가 필요하므로 2자리 서술어이다. 따라서 (가)에서 '영수가'는 주어이고, (나)에서 '바보가'는 보어이다.

1.2. 부속성분

[1] 관형어

관형어는 체언을 수식하는 부속성분으로 관형어를 이루는 형식에는 여러 가지가 있다.

① 관형사: <u>새</u> 구두
② 체언＋관형격 조사: <u>나의</u> 책
③ 용언의 관형사형: <u>빨간</u> 장미, <u>갈</u> 사람
④ 관형절: <u>눈이 큰</u> 아이, <u>집이 작은</u> 것이
⑤ 단순한 체언: <u>고향</u> 친구, <u>자식</u> 사랑, <u>그것</u> 가운데

관형격 조사는 '의' 하나뿐이며, 그 기능은 다음과 같다.

① 주어의 기능: 조사 '의'를 가진 체언이 다음에 오는 체언에 대해 의미상 주어에 해당한다.

　할아버지의 사진(할아버지가 찍으시거나 간직하신 사진)
　동생의 편지(동생이 쓴 편지나 전한 편지)

② 목적어의 기능: 조사 '의'를 가진 체언이 의미상 목적어에 해당한다.

　삶의 이해(삶을 이해하는 것)
　할아버지의 사진(할아버지를 찍은 사진)

③ 부사어의 기능: 조사 '의'를 가진 체언이 의미상 부사어에 해당한다.

　동생의 편지(동생에게 온 편지)
　동생의 선물(동생에게 온 선물)

④ 은유적인 표현의 기능: '무엇이 무엇이다'로 해석될 수 있는 '의'가 있다.

　평화의 비둘기(비둘기는 평화이다)

　그리고 관형어는 단독으로 쓰이지 못하고 반드시 체언 앞에 놓이며, 관형어의 겹침에는 일정한 순서가 있다. 즉, '저 두 젊은 사람'처럼 지시관형사 → 수관형사 → 성상관형사의 순서로 배열된다.

[2] 부사어

　부사어는 서술어의 의미가 분명하게 드러날 수 있도록 수식하는 부속성분이다. 부사어는 성분 부사어와 문장 부사어가 있다.

① 성분 부사어

　성분 부사어는 특정한 성분을 꾸며 주는 부사어로 용언, 관형사, 다른 부사, 체언을 꾸민다.

　어서 떠나자(용언).
　아주 새(관형사) 차를 샀다.

매우 조금(부사) 먹었다.

겨우 셋(체언)이 그들과 겨룰 수 있었다.

② 문장 부사어

문장 부사어는 문장 전체를 꾸며 주는 부사어로 주로 화자의 태도를 반영한다. 또한, 문장 부사어에는 '그러나, 그리고, 그러므로'와 같은 문장 접속 부사나 '및'과 같은 단어 접속 부사가 있다.

과연 그는 위대한 정치가다.

확실히 그는 머리가 좋은 사람이다.

그러나 희망이 아주 사라진 것은 아니다.

정치 및 경제가 중요하다.

부사어는 (가)처럼 보조사를 비교적 자유롭게 취하고, (나)의 예문처럼 관형어와 달리 자리 이동이 비교적 자유롭다.

가. 빨리도 가는구나.

나. 의외로 그가 시험에 떨어졌다.

그가 의외로 시험에 떨어졌다.

그가 시험에 의외로 떨어졌다.

단, 다른 부사어나 관형어, 체언 등을 꾸밀 때에는 자리 이동이 허용되지 않는다.

그는 밥을 매우 <u>많이</u> 먹었다.   * 그는 밥을 <u>많이</u> 매우 먹었다.

<u>아주</u> 새 차를 샀다.   * 새 <u>아주</u> 차를 샀다.

<u>바로</u> <u>너의</u> 책임이다.   * <u>너의</u> 바로 책임이다.

또한, 부정부사는 자리 이동이 허용되지 않는다.

영수는 학교에 <u>안</u> 간다.   * 영수는 <u>안</u> 학교에 간다.

도서관에 <u>못</u> 들어간다.   * 도서관에 <u>들어 못</u> 간다.

참고 ── '에'와 '에게' ──

지향점이나 소재를 나타내는 '에'는 무정명사, '에게'는 유정명사에 쓰이지만 (가), 부류를 나타내거나 화제의 대상이 될 경우에는 '에'를 쓴다(나).

    가. <u>꽃에</u> 물을 주었다. <u>친구에게</u> 꽃을 주었다.
    나. <u>친구에</u> 좋은 친구와 나쁜 친구가 있다.

1.3. 독립성분

독립어는 다른 문장 성분들과 관계없이 독립적으로 성립되는 성분으로 독립어를 빼도 나머지 부분만으로 완전한 문장이 된다. 독립어로는 간탄시, 체인＋호격조사, 제시어 등이 올 수 있다.

    <u>아</u>, 세월은 잘 간다. (감탄사)
    <u>영희야</u>, 더운데 창문 좀 열어라. (체언＋호격조사)
    <u>청춘</u>, 이는 듣기만 하여도 가슴이 설레는 말이다. (제시어)

1.4. 문장의 어순

한국어는 '주어＋서술어'의 기본 어순을 가지고 있다. 그리고 서술어의 종류에 따라 목적어, 보어, 부사어가 필요한 경우가 있다. 서술어는 문장의 끝에 위치하고, 목적어, 보어, 부사어는 주어와 서술어 사이에 위치한다. 한국어의 문장 어순은 일반적으로는 SOV(주어＋목적어＋서술어)의 형식이다. 그리고 수식언인 관형어는 체언의 주어와 목적어를 수식하고, 부사어는 서술어를 수식하므로 그 앞에 위치한다. 이에 한국어의 자연스런 문장 어순에 따른 주요 문장 성분의 위치를 보이면 다음과 같다.

(1) 주어, 서술어의 위치

주어는 문두에, 서술어는 문미에 위치한다.

꽃이 핀다.　　　바람이 분다.

(2) 목적어의 위치

목적어는 주어 다음에, 그리고 서술어 앞에 위치한다.

영수는 빵을 먹었다.

(3) 보어의 위치

보어는 주어 다음에, 서술어 앞에 온다.

영수는 <u>대학생이/바보가</u> 아니다.
물이 <u>얼음이</u> 되었다.

(4) 관형어의 위치

관형어는 주어나 목적어 앞에 온다.

<u>푸른</u> 하늘이 높다.
영수는 <u>새</u> 책을 샀다.

(5) 부사어의 위치

① 부사어는 대체로 서술어 앞에 오며, 목적어 뒤에 온다.

영미는 <u>열심히</u> 공부한다.
그 분은 영수를 <u>양자로</u> 삼으셨다.

② 부사어는 부사어 앞에 오고, 간접목적어인 부사어는 직접목적어
의 앞에 배열된다.

할머니는 <u>아주 잘</u> 주무신다.
영수는 <u>소녀에게</u> 꽃을 선물했다.

③ 부정 부사어 '못, 안'은 일반 부사어 뒤에 온다.

차가 너무 <u>못</u> 간다.
학생들이 빨리 <u>안</u> 온다.

2. 문장의 구조

2.1. 홑문장과 겹문장

문장에는 주어와 서술어가 한 번 나타나는 경우의 홑문장과 두 번 이상 나타나는 경우의 겹문장이 있는데, 겹문장은 하나 이상의 절을 갖는다.

```
         ┌ 홑문장 – 주어 + 서술어
  문장 ─┤
         │             ┌ 이어진 문장 – (주어＋서술어) ＋ (주어＋서술어)
         └ 겹문장 ─┤
                       └ 안은 문장 ── 주어＋ (주어＋서술어)＋서술어
```

(1) 홑문장

홑문장은 서술어가 한 번만 나타나서, 주어와 서술어와의 관계가 한 번만 맺어져 있는 문장의 형태이다. 아래 예문에서 '학생이다(가), 사다(나), 명산이다(다)' 등은 하나의 서술어이다. 그리고 (라)의 '가게 되었다'는 '본용언＋보조용언'의 형식으로 하나의 서술어로 취급한다.

가. 철수는 <u>학생이다</u>.
나. 영희는 꽃을 <u>샀다</u>.
다. 금강산은 우리나라의 <u>명산이다</u>.
라. 철수는 학교에 <u>가게 되었다</u>.

(2) 겹문장

겹문장은 주어와 서술어의 관계가 두 번 이상이 있는 문장으로 서로 안김의 관계를 나타내거나 이어지는 관계를 나타내는 문장의 형식이다.

① 문장 속의 문장: 문장 속에 다른 홑문장이 안겨 있는 겹문장이다.

우리는 영희가 우리를 사랑했음을 알았다.

② 이어진 문장: 홑문장이 여럿이 이어져 이루어진 겹문장이다.

바람이 불어서 꽃이 떨어졌다.
영수는 서울로 갔고, 철수는 부산으로 갔다.

2.2. 안은 문장

안은 문장은 문장 안에 '주어-서술어' 형식의 절을 내포한 문장으로, 서술어형의 어미에 따라 명사절, 관형절, 부사절, 인용절 등으로 분류한다.

[1] 명사절을 안은 문장

명사절은 주어와 서술어의 관계로 구성되는 문장으로 명사의 역할을 하며 형태는 '-(으)ㅁ/-기'로 나타난다. 이때 '-(으)ㅁ'은 완료, '-기'는 예정을 나타낸다.

나는 <u>그가 여행을 갔음</u>을 알았다.

나는 <u>그녀가 우리를 떠났음</u>을 깨달았다.

우리는 <u>눈이 오기</u>를 기다린다.

영희는 매일 아침에 <u>운동하기</u>로 결심했다.

[2] 관형절을 안은 문장

관형절을 만드는 형태는 '-(으)ㄴ', '-는', '-(으)ㄹ', '-던', '-고 하는'
으로 나타난다.

(1) 짧은 관형절

종결형어미 대신에 관형사형어미 '-(으)ㄴ, -(으)ㄹ'로 '기억, 사건,
사실, 경험' 등의 명사를 꾸며주는 관형절이다.

나는 <u>작년에 그 영화를 본</u> 기억이 없다.

영수는 <u>우리가 떠난</u> 사실을 모른다.

(2) 긴 관형절

[종결어미 '-다(라)' + 관형사형어미 '-는'= '-고 하는'] 의 관형절로
'소문, 인상, 제안, 질문' 등의 명사를 꾸며주며, 간접 인용이 안긴 형식
이다.

<u>그들이 곧 결혼한다는</u> 소문이 있다.

나는 <u>영희가 유능한 음악가라는</u> 인상을 받았다.

[3] 부사절을 안은 문장

부사절을 만드는 형태는 '-이'가 대표적이며, '-아/어서', '-게', '-아/어도', '-(으)므로', '-(으)ㄹ수록', '-(으)ㄹ지라도', '-자', '-아/어야', '-(으)러, '-(으)려', '-(으)려고', '-고자', '-다가', '-(이)라도', '-(으)ㄹ뿐더러', '-도록'……. 등이 있다.

> 어둠이 소리 없이 다가온다.
> 길이 눈이 와서 얼었다.
> 그 호텔은 그림이 화려하게 장식되었다.
> 비가 산에 오를수록 쏟아졌다.

[4] 서술절을 안은 문장

서술절을 안은 문장은 '주어＋서술절(주어＋서술어)'의 형태를 갖는다. 따라서 외형적으로 보면 '주어＋주어＋서술어'의 형식으로 주어가 두 개있는 것처럼 보인다.

> 이 신문은 글씨가 너무 작다.
> 그 사람은 욕심이 많다.
> 교수님께서 인품이 좋으시다.

그런데 서술절 안은 문장은 보어를 갖는 홑문장과 유사하다.

> 가. 물이 얼음이 되었다.(주어＋보어＋서술어)
> 나. 신문은 글씨가 크다.(주어＋주어＋서술어)

앞의 문장에서 (가)는 홑문장이다. 왜냐하면 '얼음이'는 서술어 '되다'의 주어인 '무엇이'에 해당하는 주체적인 특성을 갖지 못한다. '얼음으로'의 보어의 속성을 갖는다. 반면에 (나)의 '글씨가'는 서술어인 '크다'의 주어의 특성을 갖는다. 따라서 (나)는 서술절을 갖는 겹문장이다.

[5] 인용절을 안은 문장

인용절은 다른 사람의 말이나 자신이 말한 내용 또는 생각을 그대로 가져와 쓴다. 간접인용 형태는 '-고'를 쓰고, 직접인용 형태는 '-라고', '-하고' 등을 사용하며, 큰 따옴표(" ")를 앞뒤에 붙이는 것이 원칙이다.

나는 그의 말이 옳다고 생각한다.
민수는 빨리 가자고 말했다.
그는 나에게 "나는 영희를 좋아해."라고 말했다.
강아지가 "멍멍" 하고 짖는 소리가 들린다.

2.3. 이어진 문장

이어진 문장은 문장과 문장을 연결한 것으로 선행 문장의 서술어가 연결어미에 의해 이어진 문장 형식이다. 대등하게 이어진 문장과 종속적으로 이어진 문장으로 나뉜다.

[1] 대등하게 이어진 문장

앞 문장과 뒷 문장의 의미 관계가 대등하게 이루어진 문장이다. 이어진 문장의 형태는 '-고', '-(으)며', '-(으)나', '-지만', '-다만', '-거나',

'-(으)ㄴ/는데', '-든지' 등처럼 나열이나 대조적인 의미에 사용된다. (가)는 "예술은 길고 인생은 짧다.", (라)는 "나는 날씬한데 그녀는 뚱뚱하다."처럼 앞 뒤의 문장을 바꾸어도 의미가 변화되지 않아 문장이 성립되므로 대등하게 이어진 문장이다.

　가. 인생은 짧고 예술은 길다.
　나. 어머니께서는 신문을 읽으시며, 아버지께서는 편지를 쓰신다.
　다. 나는 TV를 보나, 그는 TV를 보지 않는다.
　라. 그녀는 뚱뚱한데 나는 날씬하다.

[2] 종속적으로 이어진 문장

　앞 문장과 뒷문장의 의미 관계가 종속적으로 이루어진 문장이다. 즉, 앞의 문장의 원인이라면 뒤의 문장은 이에 영향을 받은 결과의 문장이므로 앞 뒤 문장을 바꾸면 문장의 성립이 안 된다. 형태는 '-(으)면', '-자', '-거든', '-더라면', '-다가', '-아/어/여서' 등으로 원인, 이유, 조건, 가정, 결과의 반대, 첨가, 의도, 순차적인 경우에 사용된다.

　가. 열심히 공부하면 토픽시험에 합격한다.(조건, 가정)
　나. 눈이 와서 길이 미끄럽다.(이유, 원인)
　다. 매일 운동하였으나 살이 빠지지 않았다.(결과의 반대)
　라. 산에 오를수록 비는 세차게 내렸다.(첨가)
　마. 나는 어머니께 드리려고 스카프를 샀다. (의도)
　바. 영희는 밥을 먹고 학교에 갔다.(순차적인 경우)

[3] 문장의 이어짐과 단어의 이어짐의 차이

(1) 문장의 이어짐

두 개 이상의 홑문장이 접속조사 '와/과'에 의해 겹문장으로 이어진다. 이어진 문장은 주어나 목적어 등의 성분이 생략되므로 서술어를 중심으로 연결관계를 파악해야 한다.

① 주어가 접속조사로 이어짐

서울과 부산은 인구가 많다.=서울은 인구가 많다＋부산은 인구가 많다.

② 목적어가 접속조사로 이어짐

철수는 영어와 독일어와 불어를 할 줄 안다.=철수는 영어를 할 줄 안다＋철수는 독일어를 할 줄 안다＋철수는 불어를 할 줄 안다.

③ 부사어가 접속조사로 이어짐

철수와 영희는 서울과 부산에 산다.=철수는 서울에 산다＋영희는 부산에 산다.

(2) 단어의 이어짐

두 명사구가 이어진 문장이지만, 다음과 같은 서술어에 의한 문장은 문장과 문장이 이어진 것으로 해석하거나 분해할 수 없고, 단순히 명사구만이 이어진 것으로 보아야 하는데, 이를 단어의 이어짐이라 한다.

'닮다, 마주치다, 결혼하다, 만나다, 섞다, 잇다, 비슷하다, 부딪다, 같다, 다르다' 등의 서술어는 '와/과'에 의해 단어를 접속해야 한다.

가. 철수와 영희는 골목길에서 마주쳤다. ≠ 철수는 골목길에서 마주쳤
　　다+영희는 골목길에서 마주쳤다.(이어진 문장이 아니라 단순한
　　단어의 접속에 불과하다. 즉, 홑문장임)

나. 엄마와 지인이는 키가 비슷하다.(단어 접속의 홑문장)

다. 이것은 저것과 다르다.(구 접속인 단어의 이어짐)

라. 철수가 영희와 학교에 갔다.(단어의 이어짐)

마. 영희와 철수가 학교에 갔다.(단어의 이어짐, 문장의 이어짐)

(라)의 문장은 철수가 주어로 홑문장이다. 그리고 (마)의 문장에서 영희와 철수가 동시에 학교에 간 것이라면 '영희와 철수가'가 주어로 단어의 이어짐인 홑문장이다. 그러나 영희와 철수가 각각 학교에 간 것이라면 "영희가 학교에 갔다.+철수가 학교에 갔다."의 문장으로 이는 문장의 이어짐인 겹문장이다.

3. 문법 요소

3.1. 문장의 종결 표현

문장을 끝맺는 종결어미에 기대어, 자기의 생각이나 느낌을 듣는 이에게 여러 가지 방식으로 표현하는 문장 종결의 방식을 문장의 종결 표현이라 한다. 문장의 종결 방식에 따른 문장의 종류에는 평서문, 감탄문, 의문문, 명령문, 청유문 등이 있다.[26]

---

26 우리말은 서술어가 맨 마지막에 온다. 따라서 끝까지 들어 보아야 하는데, 이는 문장의 종결 표현이 중요함을 의미한다.

[1] 평서문

평서문은 화자가 청자에게 특별히 요구하는 일 없이, 단순히 자기의 생각이나 정보를 전달하거나 어떤 행동의 실현을 약속하는 문장의 종결 형식이다. 평서문에는 단순 평서문과 약속 평서문이 있다.

(1) 단순 평서문

단순평서문은 '-다, -어, -지, -네, -오, (으)ㅂ니다' 등의 종결어미가 쓰인다.

> 민호는 저녁을 먹는다.
> 민호는 저녁을 먹어.
> 민호는 저녁을 먹지.
> 민호는 저녁을 먹네.
> 민호는 저녁을 먹으오.
> 민호는 저녁을 먹습니다.

(2) 약속 평서문

약속평서문은 '-(으)마, (으)ㅁ세 등과 같은 종결어미가 쓰인다.

> 나도 곧 가마.
> 나도 곧 감세.

[2] 감탄문

감탄문은 화자가 청자를 별로 의식하지 않거나 거의 독백하는 상태에서 정보의 전달보다는 자기의 느낌을 표현하는 문장의 종결양식이다. 단순한 느낌만의 표현은 평서문으로도 가능하지만, 감탄적 어조의 화자 표현일 경우에 해당된다. 감탄형 어미로 '-(는)구나, -군, -구먼, -구려, -군요' 등의 형식이 쓰인다.

> 눈이 오는구나!
> 눈이 오는군![27]
> 눈이 오는구먼!
> 눈이 오는구려!
> 눈이 오는 군요!

혼잣말 감탄에 자주 쓰이는 것으로 (가)의 예문처럼 '-어라'와 '-어'가 있다. 주로 형용사에 쓰인다. 그러나 '-어라' 앞에는 (나)처럼 '아주, 많이, 매우' 등과 같은 부사어가 오기 어려우며, 부사어가 '-어'와 결합할 경우에는 청자에 대한 의식이 강하다. 또한, '-어라'는 (다)처럼 동사에도 연결되는 경우가 있다. 그리고 권위나 위엄을 나타낼 때는 (라), (마)의 예문처럼 '-도다', '-노라'를 사용한다.

> 가. 아이고, 추워라!   아이고, 추워!
> 나. *아주 추워라!   아주 추워!

---

[27] '-군'은 '-구나'의 준말로 혼자말의 성격이 강하므로 감탄형에는 '-구나' 표현이 더 자연스럽다.

다. 내 여기 가난한 노래의 시를 <u>뿌려라</u>.

라. 날이 <u>춥도다</u>. 길이 <u>멀도다</u>.

마. <u>가노라</u>, 삼각산아!

[3] 의문문

의문문은 화자가 청자에게 질문하여 그 대답을 요구하는 문장 종결 양식으로 단순한 서술에 머물지 않는다는 점에서 평서문이나 감탄문과 다르고, 어떤 행동을 요구하지 않는다는 점에서 명령문이나 청유문과 다르다. 의문문 형식의 어미로는 '-느냐, -는가, -니, -냐, -어, -지, -는가, -오, -ㄹ까, -ㅂ니까' 등이 쓰인다.

민호는 저녁을 <u>먹느냐</u>?

민호는 저녁을 <u>먹는가</u>?

민호는 저녁을 <u>먹니</u>?

민호는 저녁을 <u>먹냐</u>?

민호는 저녁을 <u>먹어</u>?

민호는 저녁을 <u>먹지</u>?

민호는 저녁을 <u>먹는가</u>?

민호는 저녁을 <u>먹을까</u>?

민호는 저녁을 <u>먹습니까</u>?

또한, 의문문의 종류로는 판정의문문(긍정·부정의 답을 요구하는 의문문으로 '예, 아니오'와 같은 대답을 요구함), 설명의문문(의문사를 사용하여 상대방에게 설명을 요구하는 의문문), 반어의문문(수사의문문 :

겉으로 나타난 의미와는 반대되는 뜻으로 수사적 효과를 거두기 위한 의문문), 감탄의문문(의문문이라기보다는 감탄의 뜻을 더 크게 갖는 의문문), 확인의문문(명령의문문 : 명령, 금지, 권고 등의 의미를 띤 의문문)을 들 수 있다.

너, 도서관에 가니(냐)?(판정의문문)
너, 도서관에 왜 가니(노)?(설명의문문)
너한테 장난감 하나 못 사줄까?(수사의문: 사 줄 수 있음)
그렇게 된다면 얼마나 좋을까?(감탄의문문: 매우 좋음)
빨리 가지 못하겠니?(확인의문문: 빨리 가라)

> **참고**
>
> '-니, -냐'는 '해라'체의 비격식체로 다정한 느낌을 주지만(①), '-느냐'는 위세를 부리는 듯한 느낌을 준다(②). 또한, 1인칭이나 3인칭 주어일 경우에는 간접의문으로 '해라'체가 되지만(③), 2인칭 '자네'를 주어로 할 경우에는 직접의문으로 '하게'체가 된다(④).
>
> ① 언제 왔니? 언제 왔냐?
> ② 언제 왔느냐?
> ③ 영수가 벌써 갔나? 내가 벌써 늙었는가?
> ④ 자네 영수 보았는가? 자네 어디 가나?
>
> 그리고 '-어'는 단지 상대의 의사를 묻는 상황이며(①), '-지'는 화자의 판단을 상대에게 확인하는 의문이 된다(②).
>
> ① 항아, 한국이 좋아?
> ② 하천아, 인천이 좋지?

[4] 명령문

명령문은 화자가 청자에게 무엇을 시키거나 행동을 요구하는 문장 종결양식으로 행동을 요구한다는 점에서 말로서의 대답을 요구하는 의문문과 다르다. 명령문의 형식으로 '-아라/-어라, -지, -(으)렴, -(으)려므나, -게, -오, -ㅂ시오' 등이 있다.

빨리 도둑을 <u>잡아라</u>.   밥을 천천히 <u>먹어라</u>.
이제 그만하고 밥을 <u>먹지</u>.
이리 와서 <u>앉으렴</u>.
이리 와서 <u>앉으려므나</u>.
이리 와서 <u>앉게</u>.
이리 와서 <u>앉으(시)오</u>.
이리 와서 <u>앉으십시오</u>.

명령문의 종류로는 아래 예문 (가)처럼 직접명령문(얼굴을 맞대고 하는 명령문으로 -아라, -거라), (나)처럼 간접명령문(매체를 통한 명령문으로 -(으)라), 그리고 (다)처럼 허락명령문('-(으)려무나'를 사용하는 명령문으로서 화자의 마음이 즐겁거나 좋은 일일 때 쓰고, 부정적일 경우에는 잘 쓰지 않는다) 등이 있다.

가. 이것을 보아라. 빨리 <u>가거라</u>.
나. 알맞은 답을 고르라. 정답을 골라 <u>쓰라</u>.
다. 너도 한번 읽어 보렴. 너도 한번 읽어 <u>보려므나</u>.

그리고 '-어라'는 아래 예문 (가)처럼 특정한 개인에 대한 명령에 쓰이지만, '-라'는 (나), (다)의 예문처럼 구체적인 청자를 대상으로 하지 않고 불특정 다수일 경우에 사용된다.

    가. 철수야, 박을 먹어라.
    나. *영수야, 이것을 고르라.
    다. 기대하시라. *기대하시어라.

또한, 아래 예문 (가)처럼 '-아/어'는 청자의 생각과는 상관없이 화자의 생각만으로 하는 명령이며, (나)처럼 '-지'는 청자도 화자와 같은 생각을 하고 있을 것으로 기대하는 명령형 어미이다.

    가. 집에 가.
    나. 집에 가지.

(가)의 '-구려'는 일반적으로 감탄형어미로 쓰이지만, 동사의 어간에 직접 쓰일 때에는 명령의 의미를 가질 수 있으며, (나)의 '-소서'는 기원적인 뜻을 가지는 명령형 어미로 종교적인 의식에 많이 쓰인다.

    가. 어서 가구려.
    나. 비를 내리소서.

[5] 청유문

청유문은 화자가 청자에게 함께 행동할 것을 요청하거나 제안함으로써 촉구하는 문장 종결 표현이다. 상황에 따라 특이한 의미로 해석되기도 한다. 청유형어미로 '-자, -세, -ㅂ시다, -(으)시지요' 등이 사용된다.

> 이제 집에 <u>가자</u>.
> 이제 집에 <u>가세</u>.
> 이제 집에 <u>갑시다</u>.
> 이제 집에 <u>가시지요</u>.

일반적으로 청유문의 주어는 화자와 청자를 포함하는 1인칭 복수이다. 그러나 화자(1인칭 단수)나 청자(2인칭 단수)에게만 국한될 경우가 있다.

> 가. 빨리 하자. 빨리 <u>하세</u>.(1인칭 복수)
> 나. 나도 한 마디 <u>하자</u>.(1인칭 단수로 화자의 행동을 수행하는 제안이지만 나의 말도 들어달라는 협조와 요청의 표현임)
> 다. 빨리 들어<u>갑시다</u>. 표 좀 빨리 <u>팝시다</u>.(2인칭 단수로 청자의 행동을 수행하는 경우)
> 라. 귀중한 문화재 빠짐없이 <u>등록하자</u>.(대중상대의 표어)

3.2. 높임법

높임법은 경어법(敬語法)으로 말을 할 때 다른 사람을 높여서 말하는 법을 말한다. 대화를 할 때에 말하는 화자가 있고, 말을 듣는 청자가 있으며, 발화 속에 나타나는 주체가 있다. 이들의 사회적 지위나 연령,

친분 관계, 가족 관계 등을 고려하여 높임과 낮춤의 정도를 구별하여 표현하는 방식이나 체계를 높임법이라 한다. 높임법에는 주체높임법, 상대높임법, 객체높임법이 있다. 또한 어휘 요소에 의한 높임말과 낮춤말이 있다.

[1] 주체높임법

주체높임법은 문장의 주어인 주체를 높이는 것이다. 문장의 주체가 화자보다 나이나 사회적 지위가 높을 경우 사용한다. 나이와 사회적 지위가 일치하지 않을 경우, 사적(私的, personal)인 자리에서는 나이가, 공적(公的, official)인 자리에서는 사회적 지위가 우선이다.

(1) '동사, 형용사, 이다'의 어간에 '-(으)시-'를 붙여 높인다.

할머니께서 지금 <u>오십니다</u>.
사장님은 오늘 기분이 <u>좋으시다</u>.
이분이 교장 <u>선생님이십니다</u>.

(2) 주체를 높일 경우 주격조사 '이/가' 대신 '께서'를 붙인다.

할아버지<u>가</u> 운동을 합니다. → 할아버지<u>께서</u> 운동을 하십니다.
선생님<u>이</u> 전화를 받아요. → 선생님<u>께서</u> 전화를 받으세요.

(3) 역사적 사실이나 주체가 높아도 공적인 입장에서는 '-(으)시-'를 사용할 수 없다.

왕건이 고려를 <u>건국하였다</u>.

교육부장관이 회견장으로 <u>입장하였습니다</u>.

(4) 주체높임법은 화자와 주체만에 의해 결정되지 않고, 청자를 고려할 경우가 있다. 청자가 주체보다 높을 때에는 '-(으)시-'를 사용하지 않는다.[28]

사장님, 김대리가 <u>왔어요</u>.

  (청자: 사장님 〉 주체: 김대리〉 화자: 일반사원)

아버님, 애비가 <u>왔어요</u>.

  (청자: 아버님 〉 주체: 애비 〉 화자: 며느리)

그러나 이는 화자와 청자와 주체 간에 따라 달라질 수도 있다. 압존법(壓尊法)은 청자 중심의 높임법이지만 실제 언어생활에서는 화자 중심의 높임법을 사용한다. 다음 예문 (가)에서 전무의 직급은 사장 다음에 가는 위치이므로 비서의 입장에서는 전무와의 사이가 상당한 직급의 차이가 있으므로 전무의 입장을 고려해야 하기 때문이다. 자식도 마찬가지이다. (나)에서 아버지는 높임의 대상이므로 청자가 할아버지라고 해도 아버지가 듣는 내적 장면에서는 높임법을 사용하는 것이 일반적이다.

---

28 이는 일종의 압존법(壓尊法)으로 문장의 주체가 화자보다는 높지만 청자보다는 낮아, 그 주체를 높이지 못하는 어법(語法)으로 "할아버지, 아버지가 아직 안 왔습니다."라고 하는 것이다.

가. 사장님, 전무님이 오셨어요. (화자가 비서일 경우)

나. 할아버지, 아버지가 오셨어요. (화자가 아들일 경우)

(5) 높임의 주체와 관련된 사물, 소유물, 신체의 부분은 '-(으)시-'를
붙여서 간접적으로 높인다.

할머님께서는 귀가 밝으십니다.

아버님의 연세가 많으십니다.

선생님께서는 감기가 드셨습니다.

(6) 존재의 유무를 나타내는 '있다'의 높임법은 (나)처럼 '계시다'이
고, 간접높임은 (다), (라)처럼 '있으시다'이다.

가. 순이가 집에 있다.

나. 할머니께서 지금 방에 계신다.

다. 그분은 따님만 있으시다.

라. 아버지께서는 회사에 일이 있으셔 나가셨다.

[2] 상대높임법

상대높임법은 화자가 말을 듣는 상대를 높이는 것이다. 청자와의
관계에 따라 높임과 낮춤의 정도가 결정되며, 그 등급은 종결어미에
나타난다. 상대높임법에는 격식체와 비격식체가 있다. 격식체는 공식
적이고 의례적인 상황에서 사용하며 '하십시오체, 하오체, 하게체, 해
라체'가 있다. 비격식체는 공식적인 상황이 아닌 자리에 사용하는 것

으로 화자와 청자 사이가 가깝거나 친밀한 경우에 사용한다. 주로 일상 회화에서 많이 사용하며 '해요체, 해체'가 있다.

한국어 상대높임법의 화계 체계

문장의 종류	격식체				비격식체	
	높임말		낮춤말		높임말	낮춤말
	아주높임	예사높임	예사낮춤	아주낮춤	두루높임	두루낮춤
	하십시오체	하오체	하게체	해라체	해요체	해체
평서형	-ㅂ니다/습니다 -(으)십니다	-(시)오 -소	-네 -(으)네	-다 -ㄴ/는다	-어(아/여) 요	-어(아/야) -지/걸/데/ 군
의문형	-ㅂ니까?/ 습니까? -(으)십니까?	-(시)오?	-나? -는/(으)ㄴ가?	-니? -냐?/-느냐? -(으)니? -(으)냐?	-어(아/여) 요?	-어(아/야)? -(으)ㄹ래? -(으)ㄹ까?
명령형	-(으)십시오	-(으)시오 -오, -구려	-게	-어(아/여) 라 -거라 -렴/려므나	-어(아/여) 요	-어(아) -지
청유형	-(으)십시다	-(으)ㅂ시 다	-세	-자	-어(아/여) 요	-어(아) -지
감탄형	-	-는구려	-는구먼	-는구나	-어(아/여) 요	-어(아) -지

조심해서 가십시오.(하십시오체)

조심해서 가시오.(하오체)

조심해서 가게.(하게체)

조심해서 가(거)라.(해라체)

조심해서 가세요.(해요체)

조심해서 가.(해체)

상대높임법에 따른 명사나 대명사도 달라진다. (가)처럼 '하십시오체'에는 선생님, 부모님, 어르신(어르신네[29]), 당신 등 연세가 많거나 공적인 상황에서 높임의 대상이 되는 경우에 사용하며, '하오체'에는 (나), (라ㄱ)처럼 '당신, 그대[30]' 등 이인칭 대명사의 경우에 주로 사용한다. 그리고 '하게체'의 경우에는 (라ㄴ), (마)처럼 '그대, 자네[31]'의 이인칭 대명사의 경우에 사용하며, '해라체'는 (바ㄴ,ㄷ)처럼 '너[32]'의 이인칭 대명사의 경우에 사용한다. 그리고 (다)와 (바ㄱ)은 비격식체의 '해체'에 해당된다.

(가) 어르신이 꼭 알아야 할 사실들이 있습니다.
    당신의 희생을 잊지 않겠습니다.[33]

(나) 이 일을 한 사람이 당신이오?
    당신에게 좋은 남편이 되도록 노력하겠소.

(다) 뭐? 당신? 누구한테 당신이야.[34]
    당신이 뭔데 참견이야.

---

29 남의 아버지나 어머니를 높여 이르는 말.
30 듣는 이가 친구나 아랫사람인 경우, 그 사람을 높여 이르는 이인칭 대명사. 하세할 자리나 하오할 자리에 쓴다.
31 듣는 이가 친구나 아랫사람인 경우, 그 사람을 높여 이르는 이인칭 대명사. 하게할 자리에 쓴다. 처부모가 사위를 부르거나 이를 때, 또는 결혼한 남자가 처남을 부르거나 이를 때도 쓸 수 있다.
32 듣는 이가 친구나 아랫사람일 때, 그 사람을 가리키는 이인칭 대명사.
33 문어체에서, 상대편을 높여 이르는 이인칭 대명사.
34 맞서 싸울 때 상대편을 낮잡아 이르는 이인칭 대명사.

(라) ㄱ. 나는 이것을 사수하려 하니 그대의 뜻이 어떠하오?"

　　ㄴ. 그럼 그대도 저 울릉도에나 가서 나라 하나 세우게.

(마) 자네만 알고 있게.

　　자네가 나를 불렀는가?

　　자네는 이름이 뭐지?

　　웬만하면 자네네 집으로 가세.

(바) ㄱ. 너는 집에 가.

　　ㄴ. 너는 이 옷을 입어라.

　　ㄷ. 누가 너를 데리고 왔니?

[3] 객체높임법

객체높임법은 목적어나 부사어가 지시하는 대상, 즉 서술의 객체를 높이는 것이다. 객체높임은 주로 동사에 의해 실현된다. 이는 어휘 요소에 의한 높임말과 유사하다. 객체인 목적어의 대상이 (가)에서 '친구'이므로 동사는 '데리고'가 되고, (나)에서 객체인 목적어가 높임의 대상인 '아버지'가 되므로 '모시고'의 동사로 실현된다.

　가. 나는 친구를 데리고 학교로 갔다.

　나. 나는 아버지를 모시고 집으로 갔다.

그리고 조사 '-에게/한테' 대신 '께'를 붙이고, 서술어도 철수에게는 (가)에서처럼 '주다'가, (나)에서처럼 선생님께는 '드리다'를 사용한다.

가. 민호는 그 책을 철수에게 주었다.

나. 민호는 그 책을 선생님께 드렸다.

[4] 높임말과 낮춤말

주제높임법이나 상대높임법이 용언의 선어말어미에 의해 표현되는 것과는 달리, 어휘를 사용함으로써 화자보다 높은 사람이나 관련 대상에 대하여 높임말을 사용하고, 주체가 화자보다 낮을 때에는 낮춤말을 사용한다.

(1) '먹다＋드시다(잡수시다), 자다→주무시다, 죽다→돌아가시다, 있다→계시다, 말하다→여쭈다(여쭙다)[35], 보다(만나다)→뵙다' 등처럼 동사 자체가 높임의 뜻을 가지고 있다.

영수가 아침을 먹는다. → 할머니가 아침을 드신다(잡수신다).

철수가 잠을 잔다. → 아버지가 잠을 주무신다.

민호가 죽었다. → 민호 할아버지께서 돌아가셨다.

덕순이가 교실에 있다. → 선생님이 교실에 계신다.

영수에게 사실을 말하다. → 부모님께 아침 문안을 여쭈다(여쭙다).

말로만 듣던 그 아이를 보게 되었다. → 말씀으로만 듣던 그분을 뵙게 되었다.

(2) '밥→진지, 집→댁, 나이→연세, 사람→분, 이→치아, 술

---

[35] 웃어른에게 말씀을 올리다.

→ 약주, 말 → 말씀36' 등처럼 명사 자체가 높임의 뜻을 가지고
있다.

철영아 밥 먹어. → 아버님, 진지 드세요.
너는 집이 어디니? → 선생님은 댁이 어디세요?
나이가 어떻게 되니? → 연세가 어떻게 되세요?
저 사람은 누구야? → 저 분은 누구세요?
술 한잔 먹자. → 약주 한잔 드세요.
너의 이가 가지런해. → 선생님의 치아가 가지런하네요.
어서 빨리 말해. → 천천히 말씀하세요.

(3) 화자가 자기 자신이나 자신에게 속한 사물을 낮추어 말함으로써
상대를 높인다. '나 → 저', '우리 → 저희'37 등처럼 말하는 이가
윗사람이나 그다지 가깝지 아니한 사람을 상대하여 자기를 낮추
어 가리키는 일인칭 대명사이다. 주격 조사 '가'나 보격 조사
'가'가 붙으면 '제'가 된다.

저에게 말씀을 해 주세요.
그는 저만 오래요.
저희 선생님은 참 자상하세요.
저희 회사에서 이번에 새로 개발한 신제품입니다.
제가 하겠습니다.

---

36 '말씀'은 '말'의 높임말(①)과 화자 자신을 낮추는 말(②)로도 쓰인다.
　① 선생님의 말씀을 잘 들었습니다. ② 제가 말씀 드리겠습니다.
37 '나라'는 다른 나라, 다른 민족 앞에서 낮출 수 있는 대상이 아니다. 그러므로
　'우리'의 낮춤말인 '저희'를 써서 '저희나라'라고 말하지 않고 '우리나라'라고
　말한다.

3.3. 시제, 상, 서법

시제(tense)는 우선 발화시간과 관련된 장면의 시간적 위치를 결정하는 것으로 하나의 문법범주로 파악할 수 있다. 따라서 시제는 지시적인 것으로 장면(상황)의 외적 구성이며 주로 형태적 실현에 초점을 둔다. 그리고 현재와 미래를 나타내는 굴절형태소가 미분화되었기에 과거(-었/았-)와 비과거의 2가지로 나눈다. 상(相, aspect)은 단순히 발화시간과 관련된 장면의 위치를 결정하는 것이 아니라 동작이 그 장면에 어떻게 펼쳐져 있는가에 있다. 따라서 시제가 장면의 외적 상황이라면 상은 장면의 내적 상황이다. 그리고 시제가 주로 형태적 실현이라면 상은 통사적 실현에 있다. 상의 문법 범주로 완료상(-어/아)과 미완료상(-고)의 대립이 있다. 미완료상은 다시 반복상, 진행상, 예정상으로 세분된다.

시제와 상, 어느 한쪽도 부정되어서는 안 된다. 그렇다고 시제와 상의 혼합인 시상(時相)으로 보지도 않는다. 시간이라는 하나의 선상에 장면이 있다면 그 장면의 시간적 위치를 제시하는 것이 시제요, 그 장면 내에서 동사의 동작이 어떻게 펼쳐지는가를 보이는 것이 바로 상이다. 그리고 서법(敍法, mood)은 학자에 따라 양태[38], 양상[39], 법 등 다

---

38 장경희(1985:13-14)는 '양태(樣態)'를 '양상소' 또는 '양태소'라고도 하는 것으로 단어가 아니라 문법적인 형태소라는 형태적인 특징을 지닌다고 하고 양태는 서법범주로 기타 어휘적 수단에 의해 나타나는 부수적 의미 그 자체를 가리키는 의미범주라고 했다.

39 안명철(1983)은 '양상(樣相)'은 어떤 명제가 참일 가능성이나 필연성을 의미하는 용어라 하고 이는 문장이 뜻하는 사건에 대한 화자의 믿음이나 앎, 희망, 의도, 당위 등을 의미하는 것으로 문장의 내용에 대한 화자의 태도라 하

양하게 사용되고 있다. 사상 그 자체의 양상에 관한 언어적 표현이 상이라면 우리의 주관적인 심리작용의 양상에 관한 언어적 표현이 서법이다. 종래 한국어 연구에서는 주로 어말어미에 대한 연구가 주류를 이루었는데 국어의 서법은 일반적으로 선어말어미와 어말어미 모두에 실현된다고 보아 양자를 모두 서법체계 수립의 대상으로 삼아 왔다.

[1] 시제

한국어의 시제는 말하는 사람의 발화 시점(발화시)과 사건이나 상황이 일어난 시점(사건시)에 따라 현재 시제, 과거 시제, 미래 시제로 구분된다. 발화시와 사건시가 일치할 때를 현재 시제라 하고, 사건시가 발화시보다 앞설 때를 과거 시제라 하며, 사건시가 발화시보다 뒤에 올 때를 미래 시제라 한다. 그러나 시간을 표현하는 데는 서법과 동작상도 있기 때문에 이에 대해서도 유의해야 한다.

(1) 현재 시제

현재 시제는 사건시와 발화시가 일치하는 시제로, 현재 시제 선어말어미인 '-는-'(자음 뒤에)과 '-ㄴ-'(모음 뒤에)에 의해 실현된다.

　　가. 순이가 지금 밥을 먹는다.
　　나. 숙희가 지금 도서관에 간다.

였으며, 서법은 이런 화자의 태도가 문법범주로 실현된 것으로 보아 양상과 서법은 화자의 태도의 문법적 실현 여부를 문제로 하는 표리관계에 있다고 했다.

그리고 관형사형에 의한 표현으로 동사에는 현재의 관형사형어미 '-는'이 붙고(가, 나), 형용사와 서술격 조사에는 관형사형어미 '-ㄴ'이 붙어서(다, 라) 표현된다.

　가. 요즘 도서관에 일찍 <u>오는</u> 학생들이 많다.
　나. 밥을 <u>먹는</u> 학생들로 붐볐다.
　다. <u>예쁜</u> 인형을 모으기 시작했다.
　라. <u>학생인</u> 영수는 아르바이트를 한다.

또한, (가)의 형용사와 (나)의 서술격 조사에는 특별한 형태소가 없이 표현된다.

　가. 엄마는 요즘 많이 <u>바쁘시다</u>.
　나. 영수는 <u>학생이다</u>.

현재의 반복되는 동작이나(가) 습관적인 행위(나)를 나타낸다.

　가. 아침마다 공원을 <u>산책한다</u>.
　나. 숙이는 커피를 마실 때마다 꼭 과자를 <u>먹는다</u>.

그리고 현재 시제는 (가)처럼 불변의 진리나 (나)처럼 보편적인 사실을 나타낸다.

　가. 해는 동쪽에서 뜬다.
　나. 한국 사람들은 김치를 좋아한다.

특히 사건시가 발화시보다 뒤에 올 때도 예정된 경우에는 현재 시제를 사용한다. 이때 시간을 나타내는 부사와 함께 쓰인다.

　가. 차가 곧 출발합니다.
　나. 우리 학교는 모레 소풍을 가요.
　다. 나는 1년 후에 대학교를 졸업한다.

(2) 과거 시제

과거 시제는 사건시가 발화시보다 앞서 있는 시제로 과거 시제 선어말어미인 '-았(었, 였)-'이 사용된다(가, 나). 그리고 '-었었-'은 (다, 라)처럼 발화시보다 훨씬 이전에 일어난 사건을 나타낸다. (다)의 경우 지금은 저수지에 물이 적지 않음을, (라)의 경우에는 지금은 씨름선수가 아님을 나타내듯이 현재와 비교하여 다르다든지 단절된 상황이나 느낌을 나타낸다.

　가. 민호는 남은 빵을 먹었다.
　나. 영이는 열심히 공부하였다.

　다. 작년만 해도 이 저수지에는 물이 적었었다.
　라. 민수는 고등학교 때 씨름선수였었다.

관형사형에 의한 과거 시제의 표시로 동사는 다음 예문의 (가)처럼 과거 관형사형어미 '-(으)ㄴ-'이 붙어 표현되며, (나)의 형용사와 (다)의 서술격 조사에는 선어말어미 '-더-'와 과거 시제 관형사형 어미 '-ㄴ-'의 결합 형태인 '-던'이 붙어 표현된다.

가. 어린 시절에 <u>읽은</u> 책이다.

나. <u>아름답던</u> 마을이 홍수로 인해 물에 잠겨버렸다.

다. 영희는 졸업 후에 <u>학생이던</u> 신분에서 벗어났다.

그리고 과거 어느 때에 직접 경험하여 알게 된 사실을 현재의 말하는 장면에 그대로 옮겨 와서 전달한다는 뜻을 나타내는 어미로 그때의 일이나 경험을 돌이켜 회상을 나타낼 때에는 '-더-'를 사용한다.

아침에 까치가 <u>울더니</u> 반가운 손님이 찾아왔다.

철수는 어제 도서관에서 <u>공부하더라</u>.

모임에는 몇 명이나 <u>왔더냐</u>?

그리고 과거 시제는 (가)처럼 아직 발생하지 않은 미래의 일을 예상하거나, (나)에서처럼 아직 미정적인 상황을 과거의 경험을 바탕으로 확정적인 상황으로 표현할 경우에 사용된다.

가. 내일 비가 온다는데 놀러 가기는 다 <u>틀렸다</u>.

나. 너, 내일 학교에 가면 선생님께 <u>혼났다</u>.

> **참고** ──'-었-'과 '-었었-'──
>
> ① '-었-'은 목적지로 이동한 상태로 지금 이 자리에 없음을 나타내며, '-었었-'은 과거의 경험으로 단절되었다가 다시 이어지는 단속(斷續)의 의미가 있다.
>
> 가. 그는 제주도에 갔다.(제주도에 가서 지금도 제주도에 있는지 아니면 다른 곳으로 갔는지 알 수 없음. 분명한 것은 지금 이 자리에 없음.)

나. 그는 제주도에 갔었다.(제주도에 다녀온 경험이 있는 것으로 지금 이 자리에 있을 수도 있고 없을 수도 있음.)

② '-었-'은 현재와 이어지는 상태 지속을, '-었었-'은 단절을 나타낸다.
　가. 철수가 왔어요? (철수가 와 있는 상태)
　나. 철수가 왔었어요? (지금은 철수가 없는 상태)

③ '-었-'과 '-었었-'은 동사, 형용사의 의미에 따라서 별 차이 없이 사용하기도 한다.

나는 초등학교 때 이 학교를 다녔다.
나는 초등학교 때 이 학교를 다녔었다.

그녀는 예전에 대전에 살았다.
그녀는 예전에 대전에 살았었다.

나는 어렸을 때 몸이 약했다.
나는 어렸을 때 몸이 약했었다.

(3) 미래 시제

미래 시제는 사건시가 발화시의 이후인 시제로 선어말어미 '-겠-', '-(으)리-'와 미래 관형사형어미 '-(으)ㄹ'에 의존명사 '것'이 합쳐진 '-(으)ㄹ 것'에 의해 표현된다.

내일 눈이 <u>오겠다</u>.
곧 밥을 <u>먹으리다</u>.[40]
저녁에 동생이 회사로 <u>올 것이다</u>.

---

[40] 주로 어떤 상황에 대한 화자의 추측을 나타내는 어미로 사용된다. 예를 들면 "내일이면 고향에 다다르리라."

그리고 관형사형 '-ㄹ'에 의한 미래시제 표현도 있다. 이는 선어말어미 '-겠-'과는 달리 추측의 서법적 의미를 드러내지 않고 단순한 미래시제만 나타낸다.

내일 친구 병문안 갈 사람은 잠깐 남아라.

'-겠-'은 화자의 주관적 판단을 갖는 서법적 의미로 추측, 의지, 가능성의 경우에 사용된다.

① 내일도 비가 오겠다.(추측)
   제가 먼저 가겠습니다.(의지)
   나도 그 정도의 문제는 풀겠다.(가능성)
② 지금은 그곳도 매우 춥겠다.(현재의 일에 대한 추측)
   진해에는 벌써 벚꽃이 피었겠다.(과거의 일에 대한 추측)
③ 내가 먹겠다.(의지가 강함)
   내가 먹으리라.(어느 정도 의지가 있음)
   내가 먹을 것이다.(의지가 약함)

[2] 상

상은 동작상, 또는 동사상[41]으로 발화시를 기준으로 동작이 일어나는 모습을 나타낸다. 즉, 발화시를 기준으로 동작이 막 끝난 모습, 동작이 계속 이어 가는 모습을 나타낸다. 동작상은 주로 연결어미와 보조

---

[41] 박덕유(1998)는 상이 동사의 동작에 의해 나타나는 것으로 보아 동사상(verbal aspect)이라 하였다.

용언이 결합하여 '본용언+보조용언'의 형태로 나타나며, 완료상, 진행상, 예정상이 있다.

(1) 진행상

진행상은 사건이나 동작이 진행되고 있음을 나타내고, 반복되는 사건이나 습관을 나타내기도 한다. 그 형태로는 연결어미 '-고'에 보조용언 '있다'의 결합이 있고, 연결어미 '-어'에 보조용언 '가다, 오다'의 결합이 있다.

구분	연결어미	보조용언	형태
진행상	-고	있다	-고 있다
	-어(아,여)	가다	-어 가다
		오다	-어 오다

상수는 학교에 <u>오고 있다</u>.
철수는 빵을 <u>먹고 있다</u>.
아이가 <u>기어 온다</u>.
과일이 빨갛게 <u>익어 간다</u>.
일이 다 <u>끝나 간다</u>
매일 한국어를 <u>공부하고 있어요</u>.

(2) 완료상

완료상은 사건이나 동작이 이미 완료되었음을 나타낸다. 그 형태로는 연결어미 '-어'에 보조용언 '있다, 버리다, 내다, 놓다'의 결합이 있고, 연결어미 '-고'에 보조용언 '있다, 말다'의 결합이 있다.

구분	연결어미	보조용언	형태
완료상	-어(아,여)	있다 버리다 내다 놓다	-어 있다 -어 버리다 -어 내다 -어 놓다
	-고	있다 말다	-고 있다 -고 말다

민수는 의자에 앉아 있다.

영수는 그 남은 빵을 다 먹어 버렸다.

우리는 추위를 이겨 냈다.

보고서를 이미 작성해 놓았지만 언제 제출해야 할지 모르겠다.

사랑하던 영미가 떠나고 말았다.

그런데 타동사에 의한 완료상의 형태가 있다. '-고 있다'에 의한 것으로 아래의 예문처럼 일부 어휘와 결합하면 완료상의 의미를 갖는다. (가)는 모자를 쓰고 있는 상태를 의미하며, (나)는 넥타이를 이미 매고 있는 상태를 나타낸다.

가. 철수는 이미 모자를 쓰고 있다.

나. 영호는 벌써 넥타이를 매고 있다.

> **참고** ─ '-고 있다'
>
> '-고 있다'는 본용언이 무엇이냐에 따라 완료상과 진행상의 의미를 모두 갖는다. '입다, 벗다, 쓰다, 신다, 매다, 풀다, 끼다, 열다, 닫다, 감다' 등의 경우 완료상과 진행상의 의미를 모두 갖는다.

> 영희는 옷을 <u>입고 있다</u>. (진행상: 옷을 입는 동작이 진행되고 있음.
> 완료상: 옷을 입은 후 상태 지속)
> 철수는 문을 <u>열고 있다</u>. (진행상: 문을 여는 동작을 함.
> 완료상: 문을 연 후 문이 열려 있는 상태 지속)

(3) 예정상

예정상은 어떤 동작이 예정되어 있음을 나타낸다. 형태는 연결어미 '-게'에 보조용언 '되다'의 결합이 있고, 연결어미 '-려고'에 보조용언 '하다'의 결합이 있다. 이는 주관적인 서법적인 의미가 아니라 객관적인 예정된 사실을 기반으로 이루어진다.

구분	연결어미	보조용언	형태
예정상	-게	되다	-게 되다
	-려고	하다	-려고 하다

우리는 그 일을 <u>하게 되었다</u>.
배가 곧 <u>떠나려고 한다</u>.

[3] 서법

서법은 인간의 주관적인 심리작용의 양상에 관한 언어적 표현으로 선어말어미와 어말어미 모두에 실현된다고 보아 양자를 모두 서법체계 수립의 대상으로 삼아 왔다. 이러한 서법은 개념에 따라서 학자간에 크게 두 가지로 나뉘는데 대체로 화자(speaker)의 태도뿐 아니라 청자와의 관계까지를 반영하는 범주로 보고 있다. 반면에 Jespersen (1968:313-321)은 문장의 내용에 대한 화자의 어떤 마음의 태도를 표현하는 것으로 보았다. 한국어의 서법은 우선 어말어미를 대상으로 볼 수 있는데, 그 서법체계에는 설명법, 약속법, 허락법, 경계법, 명령법, 청유법, 감탄법 등이 있다.

  (1) 가. 설명법: 영수는 착한 어린이다.
      나. 약속법: 내가 내일 빌려주마.
      다. 허락법: 마음에 든다면 그것을 사용해도 좋네.
      라. 경계법: 조심해라 넘어질라.
      마. 명령법: 어서 빨리 공부해라.
      바. 청유법: 내일 함께 가자.
      사. 감탄법: 아, 날씨가 좋구나.

그리고 선어말어미를 대상으로 볼 수도 있는데 그 서법 체계에는 의도법, 추측법, 가능법, 직설법, 회상법, 확인법, 원칙법 등이 있다.

  (2) 가. 의도법〔-겠-〕: 제가 오늘 그것을 하겠습니다.
      나. 추측법〔-겠-〕: 영수는 시험을 잘 쳐서 기분이 좋았겠다.
             〔-ㄹ 것-〕: 영수는 밥을 먹을 것이다.
      다. 가능법〔-겠-〕: 영수가 해냈다면 순희도 하겠다.
      라. 직설법〔-느-〕: 요즈음은 어디에 모여 토론을 하느냐?
             〔-는-〕: 영수는 밥을 먹는다.
      마. 회상법〔-더-〕: 누가 그것을 깼더냐?
      바. 확인법〔-렷-〕: 저 놈이 바로 범인이렷다.
      사. 원칙법〔-니-〕: 사람이 늙으면 다 죽게 되느니라.

3.4. 피동법

문장의 주어가 제 힘으로 어떤 동작이나 행위를 하는 것을 능동이라 하고 이것을 나타내는 동사를 능동사라 한다. 반면 피동은 주어가 남이 행하는 동작이나 행위에 의해 영향을 입는 것을 말하며, 이것을 나타내는 동사를 피동사라 한다. 그리고 피동사가 서술어로 쓰인 문장을 피동문이라 한다.

고양이가 쥐를 <u>잡았다</u>. (능동문)
쥐가 고양이에게 <u>잡히었다</u>. (피동문)

[1] 피동 접미사에 의한 피동법(짧은 피동)

피동 접미사에 의한 짧은 피동문은 어휘적 피동문, 파생적 피동문이라고도 하며, 능동사의 어근에 피동 접미사 '-이, -히, -리, -기'를 붙여서 만든다.

능동사	피동 접미사	피동사
놓다		놓이다
보다		보이다
묶다		묶이다
섞다	-이-	섞이다
쌓다		쌓이다
쓰다		쓰이다
파다		파이다
잡다		잡히다
닫다	-히-	닫히다
먹다		먹히다
묻다		묻히다

밟다		밟히다
박다		박히다
얹다		얹히다
누르다		눌리다
듣다		들리다
물다	-리-	물리다
밀다		밀리다
풀다		풀리다
알다		알리다
감다		감기다
끊다	-기-	끊기다
안다		안기다
찢다		찢기다

피동문을 만드는 방법은 능동문의 목적어가 주어로 되고, 주어가 부사어로 된다. 그리고 다음 (1)의 예문처럼 서술어 어근에 피동접미사 '-이-, -히-, -리-, -기-'를 결합시킨다. 또한 (2)의 예문처럼 '-에게'는 유정명사에, '-에'는 무정명사에, 그리고 대체로 '-에 의해서'가 사용된다.

(1) 가. 영수는 흰 머리카락을 보았다. → 흰 머리카락이 영수에게 <u>보이었다.</u>
　　나. 고양이가 쥐를 잡았다. → 쥐가 고양이에게 <u>잡히었다.</u>
　　다. 고양이가 엄마의 팔을 물었다. ⟩ 엄마의 팔이 고양이에게 <u>물리었다.</u>
　　라. 엄마가 아기를 안았다. → 아기가 엄마에게 <u>안기었다.</u>

(2) 가. 경찰이 도둑을 잡았다. → 도둑이 <u>경찰에게</u> <u>잡히었다.</u>
　　나. 돌이 오이지를 누른다. → 오이지가 <u>돌에</u> <u>눌린다.</u>

다. 사람들이 돈 뭉치를 밟았다. → 돈 뭉치가 <u>사람들에 의해서</u> 밟히
　　었다.

[2] '-어(아/여)지다'를 붙여 만든 피동법(긴 피동)

긴 피동문은 통사적 피동문이라고 하며 능동사 어근에 '-어(아)지다'를 붙여 피동 표현으로 만든다.

> 밭을 갈다 → 밭이 잘 <u>갈아진다</u>.
> 신발 끈을 풀었다. → 신발 끈이 <u>풀어졌다</u>.
> 글씨를 잘 쓴다. → 글씨가 잘 <u>써진다</u>.

[3] 짧은 피동문과 긴 피동문은 의미 차이

피동 접미사에 의한 짧은 피동이 다음 예문 (가), (다)처럼 자연적으로 이루어진 일을 뜻한다면, '-어(아)지다'에 의한 긴 피동은 (나), (라)처럼 인위적인 행위가 가해진 뜻이 된다.

> 가. 코가 막혔다.(자연적)
> 나. 코가 막아졌다.(인위적)
> 다. 밭이 잘 갈린다.(자연적)
> 라. 밭이 잘 갈아진다.(인위적)

이중 피동은 비문이라 사용해서는 안 된다. 다만 '사실이 밝혀졌다.'는 이중피동 형식으로 보이지만 '밝히다'는 타동사이므로 동사 어간에 '-어지다'가 결합한 것이다. 다음 예문 (가)의 '막혀졌다'는 '막+히+

어지＋었다'로, (나)의 '갈려진다'는 '갈＋리＋어지＋ㄴ다'의 이중피
동의 형식이므로 비문이다.

　　가. *코가 막혀졌다.
　　나. *밭이 잘 갈려진다.

3.5. 사동법

　어떤 동작주가 다른 사람에게 동작을 하도록 시키는 것을 사동이라
하고, 이를 나타내는 동사를 사동사라 한다. 동사의 어근에 ' -이, -히,
-리, -기, -우, -구, -추'와 같이 사동 접미사가 연결된 문장을 짧은 사동
문이라 한다. 그리고 '-게 하다'와 같이 보조적 연결어미 '-게' 뒤에
보조동사 '하다'가 결합된 문장을 긴 사동문, 또는 통사적 사동문이라
한다.

[1] 사동 접미사에 의한 사동법(짧은 사동문)

　동사의 어근에 ' -이, -히, -리, -기, -우, -구, -추'와 같이 사동 접미사
가 연결된 문장을 짧은 사동문, 또는 어휘적 사동문, 파생적 사동문이
라 한다.

동사	사동 접미사	사동사
끓다		끓이다
녹다		녹이다
높다	-이-	높이다
먹다		먹이다
보다		보이다

속다		속이다
죽다		죽이다
넓다		넓히다
눕다		눕히다
밝다		밝히다
앉다		앉히다
업다	-히-	업히다
익다		익히다
입다		입히다
읽다		읽히다
잡다		잡히다
좁다		좁히다
날다		날리다
돌다		돌리다
물다		물리다
살다	-리-	살리다
알다		알리다
얼다		얼리다
울다		울리다
감다		감기다
남다		남기다
맡다		맡기다
벗다	-기-	벗기다
숨다		숨기다
웃다		웃기다
깨다	-우-	깨우다
비다		비우다
달다	-구-	달구다
낮다	-추-	낮추다
늦다		늦추다

짧은 사동문을 만들기 위해서는 동작주인 주어가 설정되고, 목적어를 수반한다. 대체로 (가)의 예문처럼 자동사가 사동사로 바뀌는 경우와 (나)처럼 타동사가 사동사로 바뀌는 경우가 있다.

가. 얼음이 <u>녹는다</u>. → 아이들이 얼음을 <u>녹인다</u>.
나. 아이가 옷을 <u>입었다</u>. → 할머니가 아이에게 옷을 <u>입히었다</u>.

그리고 형용사가 사동사로 바뀌는 경우가 있다.

길이 <u>넓다</u>. → 사람들이 길을 <u>넓힌다</u>.

[2] '-게 하다'의 사동법(긴 사동문)

'-게 하다'와 같이 보조적 연결어미 '-게' 뒤에 보조동사 '하다'가 결합된 문장을 긴 사동문, 또는 통사적 사동문이라 한다.

긴 사동문을 만들 경우에는 새로운 동작주가 도입되고, 목적어를 수반한다. 서술어가 자동사나 형용사인 경우에는 (가), (나)처럼 주동문의 주어가 목적어가 되며, 서술어가 타동사인 경우에는 (다)처럼 부사어로 바뀐다.

가. 친구가 왔다. → 부모님이 <u>친구를</u> <u>오게 하였다</u>.
나. 담이 높다. → 아버지가 담을 <u>높게 했다</u>.
다. 아이가 밥을 먹는다. → 어머니께서 <u>아이에게</u> 밥을 <u>먹게 한다</u>.

[3] 파생적 사동문과 통사적 사동문의 의미 차이

사동 접미사의 파생적 사동문과 '-게 하다'의 통사적 사동문 간에는 그 의미 차이가 있다. 파생적 사동문은 (가)의 경우처럼 직접적 의미와 간접적 의미가 모두 들어 있지만, 통사적 사동문의 경우에는 (나)의 예문처럼 간접적 의미만 있다.

> 가. 어머니가 동생에게 옷을 <u>입히셨다</u>.(직접 옷을 입히거나 간접적으로 옷을 입게 함)
> 나. 어머니가 동생에게 옷을 <u>입게 하셨다</u>.(간접적으로 어머니가 말이나 다른 사람을 통해서 입게 함)

[4] 사동문의 특수 의미

사동문 형식을 갖추었지만 의미의 특수화를 갖는다. 다음 예문에서 (가)는 풀을 먹게 하는 사동적 의미이지만 (나)는 뭔가를 먹게 하는 의미가 아니라 사육한다는 의미이다.

> 가. 영수가 소에게 풀을 먹인다.
> 나. 우리 집은 소를 먹인다.

3.6. 부정법

부정법은 부정을 나타내는 '안(아니)', '못'과 같은 부정부사를 사용하는 문장을 말한다. '안(아니)' 부정은 객관적 사실에 대한 부정과 동작주의 의지에 대한 부정이라면, '못' 부정은 능력 부족이나 외부의 원인으로 어떤 일이 안 되는 상황이나 기대에 미치지 못하는 경우에 사용된다. 또한, '-지 않다', '-지 못하다'를 사용하여 긴 부정문을 만든다.

[1] '안' 부정문

(1) 짧은 부정문

짧은 '안' 부정문은 (가)의 동사나 (나)의 형용사의 용언 앞에 '안(아니)'을 사용하여 부정의 의미를 나타낸다.

가. 민호는 오늘 학교에 간다. → 민호는 오늘 학교에 안 간다.
나. 오늘 날씨가 덥다. → 오늘 날씨가 안 덥다.

그러나 서술격조사 '이다'로 이루어진 서술어인 경우에는 서술격조사 앞에 '아니'가 사용된다.

태연이는 대학생이다. → 태연이는 대학생이 아니다.

(2) 긴 부정문

긴 부정문은 용언의 어간에 보조적 연결어미 '-지'+'아니하다(않다)'가 결합된 문장이다. (가)의 동사나 (나)의 형용사의 용언 어간이나 (다)의 서술격조사에 사용된다.

가. 민호는 오늘 학교에 간다. → 민호는 오늘 학교에 가지 아니한다
(않는다).
나. 오늘 날씨가 덥다. → 오늘 날씨가 덥지 않다.
다. 태연이는 대학생이다. → 태연이는 대학생이지 않다.

[2] '못' 부정문

(1) 짧은 부정문

짧은 '못' 부정문은 용언 앞에 '못'을 사용하여 부정의 의미를 나타낸다. (가)처럼 동사 앞에는 '못' 부정이 자연스럽지만 (나)처럼 형용사 앞에는 어색하여 사용하지 않는다. 그리고 (다)의 경우처럼 서술격조사로 이루어진 서술어 앞에도 사용할 수 없다.

> 가. 민희는 술을 <u>마신다</u>. → 민희는 술을 못 마신다.
> 나. 운동장이 <u>넓다.</u> → *운동장이 못 넓어요.
> 다. 영수는 <u>학생이다.</u> → *영수는 못 학생이다.

(2) 긴 부정문

긴 부정문은 동사나 형용사의 용언 어간에 보조적 연결어미 '-지' + '아니하다(않다)'가 결합된 문장으로 짧은 부정문과 그 의미는 같다. (가)와 (나)처럼 동사나 형용사의 경우는 문제 없지만 (다)의 서술격조사로 이루어진 서술어 뒤에 결합되어 사용할 경우에는 어색하다.

> 가. 민희는 술을 <u>마신다</u>. → 민희는 술을 <u>마시지 못한다.</u>
> 나. 운동장이 <u>넓다</u> → 운동장이 넓지 못하다.
> 다. 영수는 <u>학생이다.</u> → *영수는 <u>학생이지 못하다.</u>

[3] 부정문의 특성

(1) 명사에 접미사 '-하-'가 결합할 경우에 '안' 부정은 (가)처럼 서술

어 앞에 사용할 수 없고, 대신 명사 다음에 사용한다. '-지 않다'의 부정은 (나)처럼 용언 어간 뒤에 사용할 수 있다.

> 가. 영미는 <u>공부한다</u>. → *영미는 <u>안 공부한다</u>.
> → 영미는 <u>공부 안</u>(아니) 한다.
> 나. 영미는 <u>공부한다</u>. → 영미는 <u>공부하지 않는다</u>.

반면에 '못' 부정은 용언에 따라 용언 앞에 사용할 수 있는 경우(가)와 없는 경우(나)가 있다. 그러나 '-지 못하다'는 (다), (라)처럼 모두 가능하다.

> 가. 철수는 <u>축구한다</u>. → *철수는 <u>못 축구한다</u>.
> → 철수는 <u>축구 못한다</u>.
> 나. 순희는 그 일을 <u>처리했다</u>. → 순희는 그 일을 <u>못 처리했다</u>.
> 다. 철수는 <u>축구한다</u>. → 철수는 <u>축구하지 못한다</u>.
> 라. 순희는 그 일을 <u>처리했다</u>. → 순희는 그 일을 <u>처리하지 못했다</u>.

(2) 명령문과 청유문의 부정

명령문과 청유문에는 '안' 부정문과 '못' 부정문이 쓰이지 못하고 '-지 말다'를 사용하여 부정문을 만든다. (1가)의 경우처럼 간접명령문에서는 '-지 말라'를 사용하지만, (1나)의 경우처럼 직접명령문에서는 '-지 말라' 대신 '-지 마라'가 사용된다. 그리고 (2)의 예문처럼 청유문에서는 모두 '-지 말자'를 사용한다.

(1) 가. 위험한 곳에는 <u>가지 말라</u>는 말이 있다.

　　나. 철호야, 위험한 곳에는 <u>가지 마라</u>.

(2) 가. 위험한 곳에는 <u>가지 말자</u>는 말이 있다.

　　나. 철호야, 위험한 곳에는 <u>가지 말자</u>.

[4] 어휘 부정 표현

부정의 의미를 지니는 특정한 어휘나 부정 표현과 호응이 되는 어휘들에 의해서도 부정문이 생성된다. 다음 예문 (가)처럼 '이다 ↔ 아니다', (나)처럼 '있다 ↔ 없다', (다)처럼 '알다 ↔ 모르다' 등이 있다.

　가. 그는 사람<u>이다.</u> → 그는 사람이 <u>아니다.</u>

　나. 영수가 여기 <u>있다.</u> → 영수가 여기 <u>없다.</u>

　다. 이곳의 지리를 잘 <u>안다.</u> → 이곳의 지리를 잘 <u>모른다.</u>

3.7. 인용 표현

인용은 화자가 남이나 자신의 말, 글 또는 생각이나 판단 내용을 옮겨와서 다른 사람에게 전달하는 것이다. 인용에는 직접 인용과 간접 인용이 있다. 직접 인용은 화자가 남의 말이나 글을 그대로 인용하여 쓰거나 말한 것이고, 간접 인용은 화자가 원래 말한 것을 전달자의 입장에 맞게 문장을 바꾸어 쓰거나 말한 것이다.

[1] 직접 인용

직접 인용은 남의 말이나 글, 생각을 표현한 문장을 그대로 인용하는 것으로 인용된 부분은 큰따옴표(" ")를 붙이고, 큰따옴표 다음에 인용 조사 '-라고', '하고'를 붙인 다음에 서술어가 온다.

주인이 "많이 드세요."라고 권한다.
동생은 나에게 "눈 내리는 것이 좋아?"라고 물었다.

병아리가 "삐악삐악" 하고 울었다.
엄마가 나에게 큰 소리로 "밥 먹어" 하고 말했다.

> **참고** ── '라고'와 '하고'
>
> 직접 인용 뒤에는 '라고'와 '하고'를 쓴다. '라고'와 '하고'는 비슷하지만 말한 사람의 억양이나 표정을 포함한 모든 것을 그대로 인용할 경우에 '하고'를 사용한다. 특히 의성어를 인용할 때는 '하고'만을 사용한다. '하고'는 동사 '하다'의 어간에 연결어미 '-고'가 붙은 것으로 '라고'를 붙여 쓰는 반면, '하고'는 띄어 써야 한다.

[2] 간접 인용

간접 인용은 남의 말이나 글, 말하는 사람의 생각이나 판단 등을 원래의 문장 그대로 옮기는 것이 아니라 말하는 사람의 입장에서 인칭, 시간, 장소, 존칭 관계 등을 바꾸어 인용한다. 따라서 큰따옴표는 사용하지 않는다. 다음은 문장의 종류에 따른 간접 인용의 형태이다.

(1) 평서문

 ① 철수: "학교에 가요."

  → 철수가 학교에 간다고 해요.

 ② 영수: "어제 인천에 갔어요."

  → 영수가 어제 인천에 갔다고 해요.

 ③ 미연: "내일 영화를 보러 갈 거예요."

  → 미연 씨가 내일 영화를 보러 갈 거라고 합니다.

 ④ 민수: "오늘 날씨가 좋다."

  → 민수 씨가 오늘 날씨가 좋다고 했어요.

 ⑤ 영희: "저는 학생입니다."

  → 영희가 자기는 학생이라고 합니다.

(2) 의문문

 ① 철수: "비가 와요?"

  → 철수가 비가 오느냐고 해요.

 ② 영수: "아침을 먹었어요?"

  → 영수가 아침을 먹었느냐고 했어요.

 ③ 미연: "내일 영화를 보러 갈 거예요?"

  → 미연 씨가 내일 영화를 보러 갈 거냐고 합니다.

 ④ 민수 씨가 나에게 "무엇이 필요해요?"라고 물었다.

  → 민수 씨가 나에게 무엇이 필요하냐고 물었다.

 ⑤ 선생님께서 오늘 날씨가 좋으냐고 물었어요.

 ⑥ 영희: "당신은 학생입니까?."

  → 영희 씨가 내가 학생이냐고 물었어요.

┌─ '-느냐고', '-(으)냐고' / '-냐고' ─

의문문의 간접 인용은 서술어가 동사일 때 (가), (나)처럼 '-느냐고'를, 그리고 (다)처럼 형용사일 때 '-(으)냐고'를 사용한다. 그러나 한국어 모어 화자들은 동사, 형용사에 상관없이 '-냐고'를 사용하는 경향이 있다.

가. 철수가 비가 <u>오(느)냐고</u> 해요.
나. 민호가 아침을 <u>먹었(느)냐고</u> 했어요.
다. 선생님께서 오늘 날씨가 <u>좋(으)냐고</u> 물었어요.

(3) 명령문

① 선생님: "숙제를 꼭 하세요."

　　→ 선생님께서 숙제를 꼭 하라고 했어요.

② 수업시간에 떠들지 마세요.

　　→ 수업시간에 떠들지 말라고 했어요.

③ 철수: "저 좀 도와주세요."

　　→ 철수 씨가 자기를 도와 달라고 해요.

④ 민수: "이 책을 경옥 씨에게 좀 주세요."

　　→ 민수 씨가 경옥 씨에게 이 책을 좀 주라고 합니다.

⑤ 의사: "물을 많이 마시고 푹 쉬세요."

　　→ 의사가 물을 많이 마시고 푹 쉬라고 했어요.

┌─ 참고 ─ '주다' ─

'주다'는 목적어를 받는 대상이 누구냐에 따라서 인용문에서 사용하는 동사가 달라진다. 목적어를 받는 대상이 1인칭이면 '달라고', 3인칭일 때는 '주라고'를 사용한다.

철수: "저 좀 도와주세요."

　　→ 철수 씨가 자기를 도와 달라고 해요. (원래 화자 = 받는 대상)

민수: "이 책을 미연 씨에게 좀 주세요."

　　→ 민수 씨가 미연 씨에게 이 책을 좀 주라고 합니다.

　　　　　　　　　　　　　　　　(원래 화자 ≠ 받는 대상)

(4) 청유문

① 친구: "밥 먹으러 가자."

　　→ 친구가 밥 먹으로 가자고 해요.

② 상수: "주말에 놀이동산에 갈까요?"

　　→ 상수 씨가 주말에 놀이동산에 가자고 합니다.

③ 철수: "비가 오니까 차를 타고 갑시다."

　　→ 철수 씨가 비가 오니까 차를 타고 가자고 했어요.

제5장

한국어의 의미론

1. 의미와 의미론

1.1. 의미의 개념과 유형

[1] 의미의 개념과 특성

언어는 형식적인 음성과 내용적인 의미의 결합으로 구성된다. 언어의 의미를 한 마디로 정의할 수는 없으나, 의미는 어떤 음성으로 말하거나 들을 때에 머릿속에서 생성하는 심적 연상을 뜻한다. 다시 말하면 말소리를 통해서 이해되는 모든 기호와 상징의 특성이라고 정의할수 있다. 즉, '意(전달의 뜻, meaning) + 味(수용의 뜻, sense)'로 우리가 사용하는 말은 형식과 내용으로 이루어지며, 내용인 의미는 본질적으로 전달측의 의도와 수용측의 감각이 어우러져 있다고 하겠다.

Ogden & Richards(1923)의 『The Meaning of Meaning』에서 제시한 <기본삼각형(basic triangle)>에서 도시해 보인 지시물(referent)과 사상

또는 지시(thought or reference) 그리고 상징(symbol)을 의미의 삼부문 (three components of meaning)이라 이른다.

언어기호의 성격을 설명하는 방법으로 이 의미의 기본삼각형이 많이 인용된다. 이 삼각형은 지시물(사물)과 사상(의미), 그리고 상징(이름)과의 관계를 나타내고 있다. 실선은 직접적 관계를 나타내며, 점선은 간접적 관계를 나타낸다. 사물(지시물)과 의미(지시)의 사이는 직접적 관계가 성립되며, 의미와 이름(상징)과의 사이도 직접적 관계가 성립되지만, 지시물과 상징과의 관계는 간접적 관계로 연결된다. 다시 말하면, 언어는 지시물과 형태가 직접 연결되지 않고, 그 중간에 의미가 매개 역할을 하고 있는 것이다. '나무'[namu]라는 음성기호와 사물(지시물)의 관계는 임의적이며 언어사회마다 다르다.

이보다 앞서 나온 개념설(Conceptual theory)을 고찰할 필요가 있다. Saussure(1916)는 『일반언어학 강의』(Course de linguistique générale)에서 개념(concept)과 청각영상(image acoustique)의 결합, 즉 signifié (記義)와 signifiant(記標)의 결합으로 파악하였다. 둘의 관계는 자의적이며, '산, 나무, 사람' 등에 대한 '山, 木, 人'의 개념을 가정할 수 있으나

일종의 관계 개념으로서의 의미로 인정하였다. 즉, 지시물인 '산'의 개념을 먼저 떠올리고, 이 음에 대한 심상을 머릿속에 청각영상((聽覺映像)으로 인식한다. 다음에 대뇌는 이 청각영상의 음인 [산]을 발음기관에 명령하여 [SAN]으로 발음하도록 한다. 개념인 signifie(記義)와 청각영상인 signifiant(記標)을 langue(랑그)라 하고, 발화한 발음을 parole(파롤)이라 하며, langue(랑그)와 parole(파롤)을 합쳐서 langage(언어)라고 한다. 청자는 화자가 발화한 파롤을 머릿속에 청각영상으로 인식하고 이를 의미의 개념으로 떠올린 다음 사물을 인지한다.

사물 --- 山 ------- [산] ------- [SAN] ------- [산] ------- [山] ------- 사물
(개념) (청각영상) (발음) (청각영상) (개념)

Ogden & Richards(1923)는 소쉬르의 개념설에서 '사물-개념-발음'을 기본삼각형으로 재구성함으로써 의미의 중요성을 기술한 것이다.

[2] 의미의 유형

(1) 기본적 의미와 주변적 의미

언어형식은 때때로 하나 이상의 의미를 지니게 되는데, 언어의 의미구조는 크게 기본적 의미와 전이적 의미로 분류된다. 기본적 의미는 한 언어사회 내에서 화자들이 공통적으로 인식하며, 전달의 기본조건이 되는 기초적 의미(basic meaning)로 중심적 의미라고도 한다. 이 중심적 의미는 언어습득에 있어서 가장 먼저 배워야 하고, 언어전달과 이해에 있어서 기초가 되는 의미이다. 단어를 정의하기 위하여 환기될 때

가장 유력시되는 의미이므로 사전에서 제일 먼저 제시된다. 예를 들면 국어 단어 머리(頭)와 손(手)의 중심적 의미는 '목 위가 되는 부분', '사람의 팔목에 달린 부분'이다.

기본적 의미를 기초로 하여 주변에 나타나는 의미로서 주어진 장면에 따라 수시로 개인적 색채를 지니며 기본적 의미를 벗어나 독자적 의미를 지니게 되는데, 이와 같은 부차적 의미를 주변적 의미라고 한다. 이들은 주로 특정한 문맥에서 이루어지는 전이적 의미이므로 문맥적 의미라고도 한다. 사전에서는 예문으로 의미를 밝히는 일이 많다. 머리와 손의 기본적 의미와 주변적 의미를 제시하면 다음과 같다.[42]

(1) 머리
「1」 사람이나 동물의 목 위의 부분. 눈, 코, 입 따위가 있는 얼굴을 포함하며 머리털이 있는 부분을 이른다. 뇌와 중추 신경 따위가 들어 있다.

「2」 생각하고 판단하는 능력.

「3」 =머리털.

「4」 한자에서 글자의 윗부분에 있는 부수. '家', '花'에서 '宀', '艹' 따위이다.

「5」 단체의 우두머리.

「6」 사물의 앞이나 위를 비유적으로 이르는 말.

「7」 일의 시작이나 처음을 비유적으로 이르는 말.

「8」 어떤 때가 시작될 무렵을 비유적으로 이르는 말.

「9」 한쪽 옆이나 가장자리.

---

[42] 표준국어대사전(1999) 인용.

「10」 일의 한 차례나 한 판을 비유적으로 이르는 말.

「11」 『음악』=음표 머리.

(2) 손

「1」 사람의 팔목 끝에 달린 부분. 손등, 손바닥, 손목으로 나뉘며 그
　　　끝에 다섯 개의 손가락이 있어, 무엇을 만지거나 잡거나 한다.

「2」 =손가락.

「3」 =일손「3」.

「4」 어떤 일을 하는 데 드는 사람의 힘이나 노력, 기술.

「5」 어떤 사람의 영향력이나 권한이 미치는 범위.

「6」 사람의 수완이나 꾀.

(2) 외연적 의미와 내포적 의미

어떤 낱말이 지니고 있는 가장 기본적이고 객관적인 의미를 외연적
의미라고 하고, 외연적 의미에 덧붙어서 연상이나 관습 등에 의해 형
성되는 의미를 내포적 의미라고 한다.

외연적 의미는 어떤 말을 사용할 때, 그 말이 제시하는 직접적 사물
의 특정한 의미, 즉 객관적으로 검증 가능한 실제에 관련되는 의미이
므로 사전적 의미, 또는 명시적 의미라 한다. 가족관계의 아버지나 어
머니의 단어는 옛날부터 오늘날까지 의미변화가 일어나지 않는다. 아
들이나 딸에 대한 부모의 관계를 갖는 남성으로서의 '아버지'와 여성
으로서의 '어머니'는 객관적으로 검증 가능한 실재적 의미인 것이다.
'소년'은 남자의 일반적 부류에 속하는 외연적 의미를 나타내고 있다.
'붉다' 개념의 외연은 붉은 것의 집합인 것이다. 이 외연적 의미를 개

념적 의미, 인지적 의미라고도 한다.

내포적 의미는 주관적인 의미일 수 있다. 구체적 개인으로서의 아버지와 어머니는 시대에 따라 달라질 뿐만 아니라 같은 시대에서도 개인에 따라 언어의 실천적 의미는 다르게 마련이다. '소년'이라는 단어에서 '순진무구한 아이, 버릇 없는 아이들' 등을 떠올릴 수 있는 것이 함축적 의미이다. 주어진 단어와 관련되는 사람들 개인에게 연상되는 개인적 영감은 감정적 내포(affective connotation)를 갖게 마련이다. 이와 같이 화자나 청자가 지닌 단어 주변의 보충적 가치에 관한 의미를 갖기 때문에 연상적 의미, 함축적 의미, 또는 암시적 의미라고도 한다. 의미 한계가 개방적이고, 비한정적 특징을 지닌다. 사전적 의미가 구성원들의 공통적인 것인데 비해, 함축적 의미는 개인 경험에 따라 달라질 수 있다. 따라서 외연이 자신의 입을 손으로 막고 '이것'이라고 지칭할 수 있는 것이라면, 내포는 눈을 가리고 어떤 말을 머릿속에서 생각했을 때 상기되는 것을 말한다.

(3) 사회적 의미와 정서적 의미

말하는 사람의 지역적 또는 사회적 환경, 화자와 청자와의 사회적 관계 등에 따른 의미를 사회적 의미라고 한다. 이러한 사회적 의미는 선택된 단어의 종류나 말투, 그리고 글의 문체 등에 의해서 전달된다.

화자의 개인적 감정, 청자에 대한 화자의 태도 등에 반영된 의미를 정서적 의미라고 한다. "좋다", "잘 했다" 등 말하는 사람의 심리 상태에 따라 어조가 달라지므로 상이한 감정적 의미를 느낄 수 있다.

(4) 어휘적 의미와 문법적 의미

일반적으로 단어를 이루고 있는 실질형태소의 의미를 어휘적 의미 (lexical meaning) 또는 사전적 의미(dictionary meaning)라고 한다. Bloomfield(1933)는 어휘적 의미를 '문자대로의 의미' 또는 '본격적 의미'라는 말로 사용하였다.

문법적 의미는 어휘적 의미에 상대되는 의미로서 기술언어학에서는 이를 구조적 의미(structural meaning)라고도 한다. 발화 전체의 의미는 어휘적 의미만을 가지고 이해할 수 없다. 즉, 어휘의 나열만으로 문장 전체의 의미를 이해할 수 없다. 전통문법에서는 명사, 동사, 형용사, 부사 등 문장을 구성하는 개념으로서의 어휘적 의미를 나타내며, 전치사, 접속사, 동사의 시제, 상, 서법 등의 문법범주는 문장을 하나의 전체 의미로 통합하는 구실을 하는 문법적 의미를 갖는다고 했다. 그러므로 발화 중에 문법적 수단으로 사용된 의미와 또한 그 발화에 관련된 사회적 문법적 의미를 알아야 한다.

1.2. 의미론의 개념과 유형[43]

[1] 의미론의 개념

의미론(semantics)은 언어의 의미에 관하여 연구하는 언어학의 한 분야로서, 어휘의 형식에 대한 의미의 연합관계·의미의 변화와 발전·비유적 용법 등을 구명하여 체계화하는 언어과학이다. 의미론의

---

[43] 이철수, 문무영, 박덕유(2010:240-244) 참조.

명칭은 프랑스의 언어학자인 Bréal의 Sémantique(1889), Essai de Sémanteque(1897)에서 비롯되었다.

[2] 의미론의 유형

(1) 어휘의미론

단어·어휘의 의미구조를 중심으로 연구하는 의미론을 어휘의미론(lexical semantics)이라 한다. 언어학자들은 의미의 최소단위를 밝히는 데 관심을 가졌기 때문에 초기의 언어학적 의미론은 대부분 어휘 중심의 의미론이었다. 어휘의미론을 체계적으로 정리한 대표적인 학자로 Ulmann(1951, 1962)을 들 수 있다. 그는 Saussure의 구조주의적 입장에서 단어의 의미체계를 분석했다. 단어의 의미를 그 단어가 속해 있는 언어체계 전체 속에서 밝히려 했고, 공시적 입장에서 단어의 본질, 동의성(同意性), 중의성(重義性) 등을 기술하려고 노력했다. 어휘의미론의 중심적 영역은 동의, 다의, 동음어, 외연과 내포, 반의, 어휘장 등을 연구대상으로 한다.

(2) 형식의미론

논리학자들은 논증의 타당성 여부에 관심을 가졌기 때문에 논증의 단위를 이루는 명제 또는 문장의 진위조건의 정의에 역점을 둔 형식의미론을 발전시키는 데 공헌했다. 어떠한 문장이 어떠한 상황에서 참(眞)이 되거나 거짓(僞)이 되는가를 밝힌다. 이와 같은 진위(眞僞)개념, 명제논리를 연구대상으로 하는 의미론을 형식의미론(formal semantics)이라 한다.

(3) 구조의미론

개별언어의 의미구조를 기술하는 의미론을 언어학적 의미론(linguistic semantics)라 이른다. 언어학적 의미론은 통시적 의미론과 공시적 의미론으로 크게 나뉘는데, 전자를 사적 의미론이라 하고 후자를 구조의미론(structural semantics) 또는 기술의미론(descriptive semantics)이라 한다. 다시 말하면 구조의미론은 언어의 의미구조를 공시적으로 분석 기술하는 언어학적 의미론이다. 기술의미론인 구조의미론은 이론적으로나 실천적인 면에서 의미의 정적(靜的) 체계를 연구하므로 정태의미론(static semantics)이라고도 한다. 구조의미론은 주로 단어와 어휘의 의미구조, 통사적 의미구조의 분석 기술을 대상으로 한다. 의미의 기능적 분석이 중심 과제다.

(4) 역사적 의미론

언어의 의미구조를 통시적으로 연구하는 언어학적 의미론을 역사적의미론(historical semantics) 또는 동태의미론(dynamic semantics)이라 한다. 역사적의미론은 의미의 통시적 연구이므로 의미변화의 연구를 중심과제로 한다. 사적의미론의 영역은 의미변화의 '과정'으로서 의미 변화 현상 전반을 다루지 않는다. 의미변화 현상이나 의미변화의 결과에서 나타나는 다의 · 동의 · 동음이의 등은 정태적 연구로서 기술의미론에 속한다. 그러므로 역사적의미론의 영역은 의미변화의 과정이 중심이 되며, 의미변화의 특성 · 원인 · 분류 · 의미론적 규칙 등을 대상으로 한다.

(5) 철학적 의미론

언어의 의미는 근본적으로 애매모호한 것이므로 철학적 인식이나 과학적 인식의 수단으로 부적당하다. 언어가 하나의 인식의 대상이 되려면 하나의 기호에는 하나의 의미만 있고, 하나의 의미에는 하나의 기호로만 나타내는 언어라야 한다. 다시 말하면 여러 개의 기호가 연결된 기호연쇄의 의미가 개개 기호의 의미의 총체가 되는 언어, 또한 누구나 어느 때나 사용해도 항상 동일한 언어라야 한다. 이러한 언어, 즉 설명 언어(matalanguage)를 개발하여 이것을 조작해 나아가는 의미론이 철학적 의미론(philosophical semantics)이다. 그러므로 철학적 의미론은 기호논리학과 내용면에서 많이 중복된다. 표현상의 모순성이 없어야 하며, 그 내용이 실증 가능한 것이어야 한다는 극단적 입장을 취하기도 한다. 예컨대, '그는 나무에서 떨어졌다'는 실증 가능하지만 '그는 지옥에 떨어졌다'는 실증 불가능한 내용이므로 철학적 의미론에서는 배제된다.

(6) 심리적 의미론

구체적 언어행동의 장에 있어서 언어의 의미를 연구대상으로 하는 의미론을 심리적 의미론(psychological semantics)이라 한다. 언어행동을 성립시키는 요인으로는 화자, 청자, 언어, 말에 의해 지시되는 사물 등 네 가지가 있으며, 마지막으로 이들을 포괄하는 장면이 있다. 청자는 화자가 말하는 말의 의미를 이해하는 것으로만은 진의를 이해했다고 할 수 없다. 그때에 어떠한 의도에서, 사물의 어떠한 면에서, 어떠한 각도에서 말하고 있는가를 알아야 한다. 언어의 의미와 장면을 이해해야 하기 때문이다. 이와같이 의도가 중요한 자리를 차지하고 있다는 점에서 심리적이라고 말할 수 있다.

(7) 일반의미론

폴란드 태생 미국 언어학자 Korzybski(1933)에 의하여 창시된 의미론으로서 언어는 사물의 기초에 불과하므로 인간의 언어에 그 이상의 힘을 인정하려는 심리가 있다. 이 심리는 언어를 사물 그것과 동일시하여 '말=지시물'이라는 착각이 생긴다. 인간의 이러한 심리를 역용(逆用)하면 언어의 마술에 의하여 사물의 실태를 은폐하고 잘못된 판단을 하도록 만들기도 한다. 과대선전, 모략활동 등이 그것이다. 기호와 지시물은 다른 것으로서 기호의 배후에는 여러 가지 상이한 레벨의 무수한 사물이 있음을 잊어서는 안 된다. 이러한 관점에서 인간심리의 이러한 맹점을 잡아내고 그 구제책을 연구하는 운동이 전개되기도 했다. 말이나 기호를 심사숙고해서 현실에 입각하여 적절히 사용할 수 있도록 훈련함으로써 환경이나 다른 사람에 관한 반응의 방법을 개선하고, 타인과의 마찰과 긴장을 완화시키도록 하며, 말의 주술에서 벗어나기 위한 연구 등은 일반의미론의 중심 과제이기도 하다. 현실에 입각하여 언어를 바르게 사용하기만 하면, 현대사회의 여러 가지 병폐와 갈등과 분쟁을 감수시킬 수 있다고 주장한다.

2. 단어 간의 의미 관계

2.1. 유의어

두 개 이상의 단어가 서로 소리는 다르나 의미가 비슷할 때, 이들을 유의어(類義語)라고 한다. '미장원 : 머리방', '서점 : 책방'과 같이 동의(同義)관계에 있는 유의어가 있어 이들을 동의어라고도 한다. 그러나 엄밀한 의미에서 뜻이 똑같은 단어쌍은 존재하지 않으므로 유의어에 포함시킨다. 동의어는 절대적 동의 관계로 모든 문맥에서 치환이 가능하지만, 유의어는 상대적 동의 관계로 개념의 의미만 동일하며 일부 문맥상 치환은 가능하나 절대적 치환은 불가능하다.

꼭 같은 의미와 용법을 가진 이형태의 단어를 동의어라고 할 수 있다. 그러나 이와 같이 의미와 용법이 완전히 같아서 어떠한 환경에서도 자유롭게 환치되는 순수한 동의어는 의미론의 연구대상이 되지 않는다. 예를 들면, 호열자(虎列刺)와 콜레라(cholera), 맹장염과 시사이티스(caecitis), 정구와 핑퐁(ping-pong), 축구와 사커(soccer) 등이 그것이다. 그러므로 의미론에서 말하는 'synonym'은 동의어가 아니라 유의어를 뜻한다.

유의어는 개념적 의미가 유사한 단어를 지칭하는 말로서 두 가지의 종류가 있다.

첫째, 어느 환경에서는 등가어로서 대치 가능한데 다른 환경에서는 교체가 불가능한 유의어가 있다. 예를 들면, '소변과 오줌, 위와 밥통, 전과 앞' 등은 이 부류에 속하는 유의어들이다.

소변이 마렵다	소변을 보다	*소변을 싸다
오줌이 마렵다	*오줌을 보다	오줌을 싸다
십년 앞(미래)	십년 전(과거)	
재는 밥통이다	*재는 위장이다	
소의 밥통 - 소의 위장	역앞 - 역전	

둘째, 지적 의미나 개념적 의미는 동일한데 감정요소를 달리하는 유의어가 있다. 한자어와 고유어로 대응되는 유의어는 지적 의미는 동일한데 감정요소를 달리하는 경우가 있다. 앞의 고유어보다 뒤의 한자어가 예의 바르게 느껴진다. 예컨대, '나이-춘추·연령, 술-약주, 집-택, 동생-계씨, 이름-성함, 똥구멍-항문' 등이 그것이다. 고유어 중에도 앞의 말이 예사말이고, 뒤의 말이 속된 느낌을 주는 유의어가 있다. '머리-대가리, 배-배때기, 입-주둥이, 얼굴-낯짝, 목-모가지, 눈-눈깔, 코-코빼기' 등이 그것이다.

셋째, 유의어의 동의성과 유의성, 또는 미세한 의미를 구별하기 위하여 주어진 문장에서 유의어를 서로 대치하는 환치법(substitutive)이 있다. 예를 들면, 유의어인 '기쁘다-즐겁다'의 의미적 차이를 구별하기 위하여 환치법을 사용함으로써 '기쁘다'는 내부에서 외부로 희열의 감정이 솟남을 나타내고, '즐겁다'는 외부의 요인이 마음에 만족을 줌으로써 희열이 속으로 젖어 들게 하는 느낌을 나타낸다.

기쁨을 감추지 못했다.
*즐거움을 감추지 못했다.

내일은 즐거운 소풍이다.
*내일은 기쁜 소풍이다.

넷째, 동의 충돌이 있다. 이는 한자어의 유입과 외래어의 유입으로 생기는 여러 사례가 있다.

(1) 퇴화의 경우
① 외래요소의 유입으로 고유어가 구축(驅逐)되어 사어(死語)가 되었다.

폐(肺)—부아　장(臟)—애　강(江)—가람　문(門)—지게
벽(壁)—바람　천(千)—즈믄　산(山)-뫼

② 외래요소의 유입이 있었으나 본래어에 밀려 외래어가 자리를 잡지 못한 경우도 있다.

집—가(家)　　눈—안(眼)　　입—구(口)　　밥—식(食)
코—비(鼻)　　낯—면(面)　　몸—체(體)　　손—수(手)

③ 의미가 서로 혼성되는 경우도 있다.

빵·떡 → 빵떡　　　　　　마메·콩 → 마메콩
외가·집 → 외가집　　　　바람·벽 → 바람벽
매화·꽃 → 매화꽃　　　　역전·앞 → 역전앞
배트·방망이 → 배트방망이　석유·기름 → 석유기름
진부령·고개 → 진부령고개

(2) 공존의 경우
① 원래는 동의어였던 것이 차차 새로운 의미질서 속에 동화되면서 의미분화가 극대화하여 유사어로 변한 것이 있다.

갓—모자(帽子)　　　　담뱃대—파이프(pipe)

가슴—흉곽(胸廓)　　　　숨통—기관(氣管)

손가방—핸드백(handbag)　붓—필(筆)

국—수프(soup)

② 외래요소의 유입으로 본래어와의 위상적 대립을 이루고, 가치 기
준의 수준면에서 향상・저하・병립의 경향으로 공존하는 경우도
있다.

[향상] 여관—호텔(hotel), 건물—빌딩(building), 뒷간—변소(便), 이
—치아(齒牙), 술—약주(藥酒), 불고기집—그릴(grill)

[저하] 부인—마담(madame), 숙녀—레지(lady), 소년—뽀이(boy),
발—족(足)

[병립] 난로—스토브(stove), 탁자—테이블(table), 잔—컵(cup),
공책—노트(note), 병따개—오프너(opener)

2.2. 반의어

한 쌍의 단어가 서로 반대되는 의미를 가지고 있을 적에, 그 둘은
반의(反義) 관계에 있다고 말한다. 반의 관계에 있는 단어들은 의미가
서로 반대 되거나 또는 짝을 이루어 서로 관계를 맺고 있는 경우가
있다. 이러한 관계를 맺고 있는 단어늘을 반의어라 이른다. 한 쌍의
단어가 반의어가 되려면, 그 둘 사이에 공통적인 의미요소가 있으며
한 개의 요소만 달라야 한다. 가령 '남자 : 여자, 총각 : 처녀' 같은
반의어 쌍은 다른 의미요소들은 모두 같으면서, 다만 '성별(性別)'이라
는 점에서만 대립을 이룬다. 그리고 반의어는 유의어와 마찬가지로 쌍

으로만 나타나는 것이 아니라, 하나의 단어에 대하여 여러 개의 단어들이 대립하는 경우도 있다.

뛰다 : 걷다/내리다/떨어지다
열다 : 닫다/잠그다/채우다
벗다 : (옷)입다/(모자, 안경)쓰다/(시계, 칼)차다/(신발, 양말)신다/(장갑)끼다

반의어는 몇 가지 유형으로 분류된다. 상보적 반의, 단계적 반의, 관계적 반의 등이 그것이다.

[1] 상보적 반의

이쪽이 아니면 저쪽이라고 자동적으로 정해지는 반의로서 원칙적으로 양극만 있고 그 중간항이 없는 양극적 상보적관계가 성립되는 반의를 상보적 반의 또는 배타적 관계의 반의라고 한다. 어느 한쪽을 부정할 수 있지만, 양쪽 모두를 부정할 수는 없다. 그리고 '덜 남자, 덜 생존' 등 비교적인 단어와 결합하지 않는다.

겉—속   기혼—미혼   남자-여자   생존—사망

[2] 단계적 반의

단계적 반의는 앞에서 설명한 상보적 반의와는 달리 두 항 사이의 명확한 경계선이 존재하지 않고, 양극간의 연속적 정도의 차이가 존재하는데 이러한 반의 관계를 단계적 반의라고 한다. 따라서 중간항이

존재하며, 어느 한쪽을 부정하면 성립되지 않지만, '크지도 작지도 않다'처럼 양쪽 모두를 부정할 수 있다. 그리고 '덜 뜨겁다, 덜 차갑다'처럼 비교를 나타내는 단어와 잘 어울린다. 또한, 주어진 발화마다 일정한 기준(norm)이 존재하고, 이 기준에 따라 상대적으로 단계를 이룬다. 예를 들면, 새끼 코끼리는 큰 코끼리에 비하여 작지만, 쥐에 비해서는 엄청나게 크다.

크다―작다   높다―낮다   넓다―좁다
늙다―젊다   많다―적다   뜨겁다―차갑다

[3] 관계적 반의

어떤 중심점을 상정하여 서로 다른 방향성을 나타내는 반의 관계를 관계적 반의라고 한다. 관계적 반의에는 동일한 것을 반대의 관점에서 보는 반의 관계(가), 상호 규정적으로 성립되는 반의 관계(나), 공간적 위치로서 성립되는 반의 관계(다)가 있다.

가. 사다―팔다   가다―오다
나. 부모―자녀   남편-아내   교사-학생
다. 위―아래   앞―뒤   남―북

2.3. 다의어

한 단어가 기본적 의미 외에 부차적 의미를 하나 이상 가지는 것을 다의(polysemy) 또는 다의성이라 하고, 다의성의 단어를 다의어(多義語)

라고 한다. 다의어는 동음어처럼 하나의 동일한 형태인 이름에 여러 개의 의미를 갖지만, 시간 및 공간성의 인접성, 그리고 어원적인 형태와 기능의 유사성을 가지므로 동음어와는 다르다. 다의어는 기본적 의미와 주변적 의미로 사용된다. 예를 들어 '먹다'는 '밥을 먹다'와 '담배/녹/뇌물/욕/마음/겁/나이/더위 등을 먹다'로 사용된다. 그리고 동음어가 둘 이상의 표제어를 갖는 반면에 다의어는 하나의 표제어를 갖는다.

비유적인 표현이 다의현상의 원인이 된다. 예를 들면, '눈이 멀다'에서의 눈(目)이 '사랑에 눈이 멀다(분별력), 부드러운 눈(모양·태도), 까막눈이(文盲)'와 같은 예나, '서리맞다(피해), 벼락이 떨어지다(심한 꾸지람), 필요는 발명의 어머니(생산의 존재)' 등은 비유적 표현에 의한 다의성의 예라 할 수 있다.

그리고 '소젖-우유-밀크'처럼 외국어의 영향으로 본래어의 의미가 변하는 경우와 특수사회의 전문용어나 고유명사가 일반적인 용어로 사용되어 다의현상이 생기기도 한다. 예를 들면, 강태공(강려상)은 인명이었던 것인데 '낚시꾼'을 지칭하게 되고, 클랙슨(Klaxon)은 자동차 경적의 제조회사의 이름, 상품명 등이었던 것이 '경적'이라는 보통명사로 쓰이고, 바바리(burberry)는 원래 회사 이름이며 또한 그 회사의 제품을 지칭했던 것인데, 레인 코트, 스프링 코트, 장교용 정복의 겉옷 등 여러 가지 뜻으로 쓰이게 되었다.

'변소-화장실, 천연두-마마, 죽다-돌아가다' 등의 완곡표현 역시 다의현상의 원인이 된다.

2.4. 동음어

동음어(同音語)는 한 언어 내에서 발음이나 철자는 동일하나 뜻이 다른 둘 또는 그 이상의 말을 이루는 것으로 동음성이라 하고, 동음성으로 이루어진 단어들을 동음어 또는 동음이의어(同音異義語)라 한다. '눈(雪) : 눈(眼), 밤(栗) : 밤(夜), 발(簾) : 발(足), 말(言) : 말(馬)' 등처럼 하나의 동일한 형태인 이름에 여러 개의 의미를 갖는 점에서 다의어와 유사하지만, 동음어는 어원적 유사성이 없고, 사전에 표제어가 2개 이상이라는 점에서 다의어와 다르다.

3. 의미변화의 개념과 원인

3.1. 의미변화의 개념

의미라고 하는 것은 지시물에 대한 사회 관습적 이미지이므로, 지시물이 변하든가 사회인들의 지시물에 대한 관심이나 연상이 변하면 의미도 따라서 변하게 된다. 이와 같이 단어의 중심적 의미가 소실되고 새로운 중심적 의미가 생기거나, 중심적 의미는 그대로 있고 부차적 의미가 드러날 경우 발생되는 의미의 변화 현싱이나, 중심적 의미의 편향적 사용으로 마침내 의미의 변화를 가져오는 현상을 의미변화 (semantic change) 또는 의미의 변화(change in meaning)라고 한다.

3.2. 의미변화의 원인

Ullman(1962)은 의미변화의 원인으로 여섯 가지를 들었다.[44]

[1] 언어적 원인

언어적 원인은 언어의 음운적 · 형태적 · 통사적 원인으로 인하여 의미가 변하는 것으로, 예컨대 수식어의 의미가 피수식어에 흡수되거나 그 역의 관계가 원인이 되는 경우이다. 단어가 다른 일정한 단어와 많은 맥락 속에서 함께 나타나고 그러한 결합이 관습화되어버리면 거기에 포함된 의미가 고정적이 되어서 기본적 의미, 또는 중심적인 의미의 변화를 가져오는 수가 있다 이러한 현상을 언어의 감염(感染), 또는 언어의 전염(傳染)이라 한다. '별로 좋다'는 과거에 긍정적인 의미였지만 요즘 부정적 의미로 바뀐 경우이다. '안절부절'의 의미가 '마음이 초조하고 불안하여 어찌할 바를 모르는 모양'이므로 '안절부절하다'가 올바른 표현인데 '안절부절 못하다'로 바뀌었다. '주책'도 '일정하게 자리 잡힌 주장이나 판단력'의 의미인데 '없다'와 호응하여 '주책 없다'로 사용된 것이다.

또한, '콧물→코, 머리털→머리, 그믐날→그믐, 아파트먼트→아파트' 등 언어를 줄여서 사용하는 것도 언어적 원인으로 볼 수 있다.

---

[44] S. Ullman, Semantics: An Introduction to the Science of Meaning, Oxford: Blackwell, 1962.

[2] 역사적 원인

역사적 원인은 통시적 요인에 의한 의미변화로서, 과학·기술·제도·풍속 등의 변화가 명칭의 변화를 수반하지 않고 사물의 변화만 가져옴으로써 의미변화가 생기는 경우이다. 차의 경우 '인력거 → 자동차', 붓의 경우 '모필 → 필기도구', 신발의 경우 '짚신 → 고무신 → 운동화, 구두', 배의 경우 '돛단배 → 기선 → 군함, 잠수함' 등을 들수 있다. 그리고 '대감, 영감' 등처럼 지시물은 소멸되었으나 단어는 남아 있는 경우도 있고, '감옥소 → 형무소 → 교도소' 등처럼 지시물에의 감정이 바뀐 경우도 있다.

[3] 사회적 원인

사회적 원인은 일반사회와 특수사회 간의 언어 이동이 원인이 되어 나타나는 의미변화로서, 왕정의 최고 책임자로서의 '王'이 제1인자의 뜻으로 사용되거나(판매왕, 암산왕 등), 큰 것의 뜻(왕방울, 왕거미 등)으로 사용되기도 하며, 박사를 척척박사, 만물박사 등으로, 대장을 골목대장, 마을대장 등으로 사용하는 것은 의미의 확대와 일반화의 예이다. 그리고 '기쁜 소식'이 기독교 사회에서 '복음'으로 사용되거나 '출혈(出血)'이 상인들의 사회에서 '손해'의 뜻으로 사용하는 것은 의미의 특수화에 해당된다.

[4] 심리적 원인

심리적 원인은 화자들의 중심에 깊이 뿌리박고 있는 어떤 인식이나 경향에서 발생되는 의미변화로서 금기(taboo)는 심리적 원인에 의한 의미변화의 중요한 원인이 된다. 인간이 어떤 대상에 접근하는 것을 저지하거나 기피하는 행위를 taboo라 하는데, 이것이 언어에 반영되어 어떤 어휘나 표현을 쓰기 꺼려하여 그 대신 다른 어휘나 표현을 사용하게 된다. 여기에 사용되는 어휘나 표현을 금기어(taboo word)라고 한다. 금기어는 일반적으로 완곡법(euphimism)으로 사용되어 의미변화의 원인이 된다. 예컨대, 천연두를 손님으로, 매춘부를 양공주로, 항문을 뒤로, 음근(陰根)을 고추로, 술을 곡차로 사용하는 것 등이 이에 해당된다.

4. 성분분석과 의미장

4.1. 성분분석

어떤 단어를 정의하는데 쓰이는 특징적인 범주들을 의미자질 (semantic feature)이라고 한다. 예를 들어 '총각'은 '생물, 인간, 남성, 성인, 결혼의 속성을 가지므로 각각 의미범주가 된다. 이때 의미범주는 객관적이고 보편적인 속성을 갖는다. 이와 같이 특징적인 자질들을 탐구하고 그들 간의 관계를 규명하는 작업을 자질분석(feature analysis) 또는 성분분석(componential analysis)이라 한다. 즉, 성분분석은 분석 대상인 단어가 하나의 구조로 되어 있고, 그 구조 속에 어떤 의미 성분들이 내재해 있다는 가정으로부터 출발한다. 성분분석은 낱말의 의미, 특히 개념적 의미(conceptual meaning)의 분석을 주로 하여 의미구조를 기술하는 하나의 방법이다. 예를 들면, '소녀'라는 단어는 [＋생물][＋인간][＋여성][-성인] 등과 같이 기술된다. [＋생물]은 [＋인간]에 의해 제시되는 잉여자질이므로 생략하기도 한다.

4.2. 의미장

단어는 단독으로 그 가치를 발휘하는 것이 아니라 그 단어와 관련된 몇 개 단어와의 상관 속에서 가치를 지니게 된다. 어느 단어를 중심으로 하여 유의어와 다의어를 비롯하여 그 단어와의 유연관계, 대응관계 등에 근거하여 각 단어의 위치를 정하여 어휘를 조직화할 수 있다. 이와 같이 주어진 단어를 중심으로 하여 그것과 서로 영향관계를 미치는 범위를 의미장(semantic field)이라 한다.

의미장에는 '봄-여름-가을-겨울'과 같은 계절의 공통적인 장이나 '춥다-차다-따뜻하다-덥다'와 같은 어형계열적 장(paradigmatec field)과, '찬 우유'와 같이 단어의 통합적 관계에서 나타나는 통합적 장(syntagmatic field) 등이 있다. '찬'과 '우유'라는 단어 간의 통합관계는 가능하지만 '추운'과 '우유'와의 통합관계, 즉 *'추운 우유'는 불가능하므로 비문법적이다. 이와 같이 어떤 단어의 의미장을 면밀하게 기술해 보면 각 단어의 의미장에서의 위치가 분명해지며, 어휘구조를 조직적으로 파악할 수 있게 된다.

'입다'(着衣)와 관련된 유연관계에 있는 단어의 범위와 위치를 조직화한 바와 같이, 어느 단어를 중심으로 하여 그것과 서로 영향관계를 미치는 범위를 의미장으로 보이면 다음과 같다.

착의성 어휘	어휘유형	대상	반의어	'입다'의 반의개념
입다	입다 (걸치다)	옷, 저고리, 바지, 두루마기, 신사복, 드레스, 잠바 등	벗다	벗다
	쓰다	모자, 갓, 벙거지, 頭巾, (안경)등		
	신다	신, 양말, 구두, 버선 등		
	끼다	장갑(안경)	빼다	
		반지		
		단추, 호크 등	풀다 (끄르다)	
	매다	네타이, 옷고름, 혁대, (댕기, 대님) 등		
	감다	붕대, 비단 등		
	차다	시계, 수갑		
		기저귀	떼다	
	두르다 (하다)	목도리, 완장, 마푸라, (앞치마)등		
	치다	(각반, 앞치마)		
	걸다 (하다)	목걸이, (귀걸이)		
	달다	뿌로찌, 명찰, (귀걸이)		

위에서 보인 바와 같이 어떤 단어에 대한 의미장을 기술해 보면 다의어로서의 확장, 상하위의 의미장, 의미장의 중층화·조직화를 이룰 수 있다. 그 결과 단어와 단어와의 관계가 분명해지며, 각 단어의 의미장에서의 위치가 분명해지며, 어휘구조를 조직적으로 파악할 수 있게 된다.

제6장

한국어의 문자와 표기

1. 문자의 발달

문자는 인간의 의사소통을 위한 시각적인 기호 체계로 표의문자와 로마자, 한글 따위의 표음 문자로 대별된다. 문자의 시작은 그림의 양식화된 형태로부터 발달하기 시작하였다. 그러다가 차츰 그릴 수 있는 대상의 시효가 제한되었기 때문에 그림은 입으로 하는 말을 나타내는 상징으로 변하였다. 일반적으로 문자의 발달과정은 회화문자, 상형문자, 표어(表語)문자, 그리고 표음(表音)문자의 시기로 볼 수 있다.[45]

[1] 회화문자의 시기

회화문자의 시기는 어떤 사물을 그림으로 나타내는 회화적(繪畵的)

---

[45] 이철수, 문무영, 박덕유(2010:294-298) 참조.

재현 방법을 택한 시기다. 기억보조(記憶補助)의 단계보다 진일보한 형태이지만 역시 문자의 원시형태의 범주에 속한다.

넓은 의미로 회화문자(pictograph, pictographic writing)는 어떠한 형태이건 그림에 의한 인간 의사의 표현과 전달을 모두 포괄하고, 좁은 의미로는 원시적 회화에만 한정된다. 많은 원시부족들은 의사를 전달하기 위하여 그림을 사용해 왔다. 아메리칸 인디언, 호주 원주민, 아프리카 일부 종족들이 이러한 메시지를 나무껍질이나 동물 가죽 그리고 암석 등에 흔적을 남겨 놓았다. 그러나 이런 단계의 그림은 엄격히 말하여 문자라고 할 수 없다. 왜냐하면 그것은 규약적인 기록 체계를 이루지 못하고 몇몇 한정된 사람만이 해독할 수 있기 때문이다.

[2] 상형문자의 시기

상형문자(象形文字)의 시기는 사물의 모양을 본떠서 만든 회화문자에서 발전하여 회화가 하나의 상징적 부호로 발전한 시기의 글자다. 중국의 갑골문자인 고대 한자를 비롯하여 이집트의 신성문자[46], 수메르의 설형문자[47] 등을 총칭하여 상형문자(hieroglyph, hieroglyphic writing)라 이른다.

---

[46] 신성문자(神聖文字, hieroglyph)는 고대 이집트인들이 신성한 목적으로 새겨 표기한 것으로 모두 그림으로 되어 있지만 표음적인 요소가 있었을 것으로 추측된다.

[47] 설형문자(楔形文字, cuneiform)는 쐐기나 화살촉 모양으로 된 문자로서 애초에는 석판에 그려진 회화문자였던 것이 뒤에 점토 등에 그림을 정밀하게 그릴 수 없게 되어 직선적인 형태로 본래의 회화문자의 성격을 잃어버리고 용이한 서기법으로 바뀐 것이다.

[3] 표어문자의 시기

한자의 경우와 같이 한 문자가 하나의 단어를 가리키는 문자를 표어
문자(表語文字, logograph, logograhhic writing) 또는 단어문자라고도
하는데, 정확히는 형태소 문자로서 최소 의미단위에 대해 문자 하나를
대응시킨 것이다. 회화가 하나의 상징적 부호로 발전한 것이 상형문자
인데 비하여, 표어문자는 상징적 부호가 진일보하여 사물 그 자체를
표시하는 동시에 그 사물을 표시하는 언어와도 직접 관계를 맺게 되어
문자로서의 기능을 완전히 갖게 된다. 이 문자체계의 대표적인 예는
중국 문자인 한자(漢字)이다. 대부분의 형태소가 단음절이기 때문에
각 문자는 한 음절에 대응한다고 말할 수 있다. 표어문자는 일자일어
(一字一語)를 표시하는 문자체제로서 음독이 가능하며 상형문자로서
표상할 수 없는 추상 개념까지 나타낼 수 있다. 이와 같은 단어·음절
적 문자체계(wore-syllabic writing sysrem)의 단점은 사람들이 각 단어
에 해당하는 부호를 하나하나 배워야 한다는 점이다. 현대 중국문학
작품을 읽기 위해서는 약 4천개의 한자를 구사해야 하고, 중국학을
연구하는 전문가의 경우에는 적어도 1만개 이상의 한자를 알아야 할
것으로 추산하고 있다.

[4] 표음문자의 시기

문자를 그 언어기호적 성격에서 보면 표의문자(表意文字)와 표음문
자(表音文字)로 크게 나뉜다고 볼 수 있다. 표음문자 가운데서 단어의
음절 전체를 한 단위로 나타내는 문자를 음절문자라 하고, 음소적 단
위의 음을 표기하는 문자를 음소문자라 한다.

(1) 음절문자

음절문자(音節文字, syooabic writing)는 대부분의 경우 표의문자가 지닌 단어의 음과 의미를 고려치 않고 적용시킨 데서 비롯한 것이다. 이집트 문자나 수메르 문자 등의 고대 문자도 표의문자를 근간으로 하고 있으나 음절문자적 용법이 많다. 그리고 한자는 본래 표의문자(엄밀히 말하여 표어문자)이지만 육서의 가차(假借)는 음절문자적 용법인 것이다. 한자는 단음절성을 기초로 하고 있기 때문에 각 문자는 하나의 단어를 표시하고 있음과 동시에 그들은 각 음절에 해당된다. 이러한 음절문자적 성격을 순수한 음절문자 체계로 발전시킨 것이 일본의 가나(假名)문자이다.

(2) 음소문자

음소문자(音素文字, phonemic writing)는 단음문자 또는 자모문자(alphabetic writing)라고도 하는데, 1음소 1문자가 원칙이나 음운변화 및 정서법상의 이유로 이 원칙이 잘 지켜지지 않는 경우가 있다. 현대 영어에서와 같이, 한 문자가 여러 가지 상이한 음을 표시하기도 하고, 같은 음이라도 각기 상이한 문자로 나타내기도 하며, 몇 개의 문자가 결합하여 일정한 음군을 나타내기도 한다. 이러한 현상은 음소문자로 하여금 표어적 가치와 시각적 형상성을 지니는 것으로 자음자와 모음자를 병용하여 사용한다.

우리나라의 한글도 음소문자에 귀속되는 것으로 당초부터 자음과 모음이 분리되어 창제되었다. 그러나 국어의 문자체계에 있어서 한글은 음소문자이지만 표기에 있어서는 음절 단위로 기호화하고 있음을 알 수 있다. 특히 초성(onset)·중성(peak)·종성(coda)을 합하여 하나의 음절단위를 형성하고 이 음절단위로 표기했다. 「訓民正音」에서 '凡字必合而成音'이라고 한 말도 바로 음절적 표기법을 말하는 것이다.

2. 정서법

어떤 언어사회의 규범이 되는 정통적 표기법으로서 말의 철자를 올바르게 기록하는 방법이나 한 언어의 표준이 되는 철자법의 체계 및 그것을 연구하는 언어학의 한 부분을 정서법((正書法, orthography)이라고 한다. 정서법은 말을 바르게 철자하는 표기법이며, 일정한 시대에 있어서 개별 언어의 음성을 문자로 표기하는 표준적 철자법을 이른다. 따라서 정서법을 정자법(正字法), 철자법, 맞춤법이라고도 하는데, 단순히 표기법이라는 뜻으로 관용되기도 한다.

2.1. 중세국어의 표기법

(1) 종성부용초성과 8종성법

중세의 한글 표기법은 현대 맞춤법과 다른 점이 많았다. 훈민정음 해례의 종성해에서 종성부용초성 원칙을 규정하고 있다. 이는 초성 (ㄱ, ㅋ, ㆁ, ㄴ, ㄷ, ㅌ, ㄹ, ㅁ, ㅂ, ㅍ, ㅅ, ㅈ, ㅊ, ㅿ, ㅇ, ㆆ, ㅎ) 글자를 받침에 그대로 사용한다는 것이다. 그러나 이는 당시 소리나는 대로 적는 표음주의의 연철표기와 맞지 않는다. 이에 받침도 대표음으로 적

는다는 팔종성(ㄱ, ㅇ, ㄴ, ㄷ, ㄹ, ㅁ, ㅂ, ㅅ)만으로도 족하다는 원칙을
두었다.

독실ᄒ다, 용모, 돋, 낟[곡식], 믈, 님금, 갑옷, 삿갓

그런데 팔종성법에서 'ㄷ'과 'ㅅ'의 발음상 표기 구별이 어려우므로
17세기 이후 'ㄷ'을 'ㅅ'으로 표기함으로써 칠종성법을 사용하게 되었
다. 현대국어의 종성법은 근대국어와 마찬가지로 7종성법이지만, 'ㅅ'
을 'ㄷ'으로 적는 규정이다. 근대국어가 문자 표기상의 7종성법이었다
면, 현대국어는 발음상 표기의 7종성법이다. 즉, 근대국어가 '돋도록
→돗도록, 빋→빗' 등으로 표기했다면, 현대국어는 '낫[낟], 낟[낟],
낱[낟], 낮[낟], 낯[낟]'으로 쓰기와 발음을 달리 표기한다.

(2) 연철(이어적기, 표음적) 표기

중세국어에서는 오늘날처럼 표의주의(형태주의)법을 사용하여 끊
어적은 것이 아니라, 표음주의법을 사용하여 소리나는 대로 이어 적었
다. 받침 있는 체언이나 용언의 어간에 모음으로 시작하는 조사나 어
미가 이어질 때에 연철표기를 하였다.

ᄇᄅ매, 시미, 기픈, 그츨씨 〈용비어천가 2〉
굴허에 ᄆᆞᄅᆞᆯ 디내샤 도ᄌᆞᄀᆞᆯ 다 자ᄇᆞ시니... 〈용비어천가 48〉
일 져므리 ᄒᆞ야 허므리 업스라 ᄒᆞ고 〈선사내훈 1:84〉

앞의 예문처럼 실사(實辭)[의미부]의 끝받침이 모음으로 시작되는

허사(虛辭)[형태부]와 만나면 초성으로 내려 적었다. 즉, 어절 단위로 표기했다고 할 수 있다.

그리고 '받, 놉고, 곳, 노푼고'처럼 체언과 용언의 기본 형태를 밝히지 않고 소리나는 대로 대표음을 표기하였는데, 현대 맞춤법 원리에 따라 고쳐 쓰면 '밭, 높고, 곳, 놓습고'가 된다. 앞의 예문 '업스라'는 '없+으라'로 연철표기로 적은 것이다.[48]

(3) 분철(끊어적기, 표의적) 표기

기본적인 형태를 살려 표기하는 것으로 오늘날 표기법인 표의주의에 따른 것이다. 즉, 체언과 조사(국+을), 어간과 어미(먹+어), 어원이 확실한 파생어(얼+음)에서처럼 끊어적기를 하는 것이다. 16세기 말에 분철표기가 등장하면서 일부 울림소리의 특수한 경우에는 분철표기를 했다.

눈에 보는가, 그르세 담아, 일올, 꿈을, 종올, 안아

이러한 표기는 월인천강지곡에 주로 나타났으며, 분철표기는 다음과 같은 경우에 일어났다.[49]

첫째, 'ㄱ[g]' 자음이 'ㅇ[ɦ]' 자음으로 바뀐 자리('ㄹ' 자음이나 'ㅣ' 모음 밑에서)로 '밍굴거늘>밍굴어늘, 놀개>놀애, 믈과>믈와, 몰개(砂)>몰애, 이고>이오, 소리고>소리오' 등을 들 수 있다.

---

48 고등학교 문법(2002:280) 참조.
49 尹錫昌 외(1973:529) 참조.

둘째, 'ㄹ' 받침 밑에서 'ᄫ'이 '오/우'로 변한 경우로 '글ᄫᆞᆯ>글왈, 갈ᄫᅡ(竝)>ᄀᆞᆯ와, ᄇᆞᆲᄫᅡ(踏)>ᄇᆞᆯ와, 열ᄫᆞᆫ(薄)>열운' 등을 들 수 있다.

셋째, 'ㄹ' 받침으로 끝난 어간이 사동접미사(오/우, 이)나 피동접미사(이)를 만날 때, '일우다(成), 일위다(成), 살오아>살와(살게 하여), 놀이다(飛), 들이다(聞) 등처럼 분철표기를 하였다.

넷째, 특수곡용어 'ᅀᆞ', '르(르)'가 곡용한 경우로 '앗이(아우가), 엿이(여우가), 놀이(노루가), 실을(시루를)' 등에서처럼 분철표기를 하였다.

다섯째, '르/르' 어간에 모음의 어미가 이어지는 일종의 설측음화일 경우에는 '다ᄅᆞ아>달아, 니르어>닐어, ᄆᆞᄅᆞ아>몰아'의 경우에서처럼 분철표기를 하였다.

(3) 혼철(중철, 과도기적) 표기

우리말의 표기는 15세기의 연철 위주의 표기에서 차츰 분철표기로 발전하여 왔다. 그러나 연철도 분철도 아닌 과도기적 표기가 16세기에 나타나 17,8세기에 이르기까지 나타났다. 이러한 혼철표기가 나타나는 특성과 예는 다음과 같다.

첫째, 체언과 조사가 연결될 때 체언의 끝소리가 겹쳐서 표기되었다.

옷새, 님믈, 눗출

둘째, 어간에 어미가 연결될 때 어간의 끝소리가 겹쳐서 표기되었다.

밥비, 깁퍼, 뭇친

셋째, 'ㅍ'을 'ㅂ'과 'ㆆ'으로 나누어 표기했다.

　놉흘시고, 압히는

(4) 한자음 표기

한자음 표기의 대표적인 것은 동국정운식(東國正韻式) 한자음 표기이지만, 이외에 월인천강지곡의 한자음 표기와 현실적 한자음 표기가 있다.

① 동국정운식 한자음

훈민정음은 우리말을 쉽게 적는다는 목적 이외에도 당시의 한자음을 중국의 원음에 가깝게 표기해야 한다고 생각하고, 중국 음운학의 기본이 되는 洪武正韻(홍무정운)의 음운체계를 바탕으로 하여 세종 30년 東國正韻(동국정운)을 간행하여 우리나라 한자음의 표준으로 삼았다. 따라서 세종 때 발간된 석보상절, 월인천강지곡과 세조 때 발간된 훈민정음언해본의 한자음 표기는 이를 표준으로 삼았는데, 이를 동국정운식 한자음이라 한다. 이 한자음은 현실에 통용되던 한자음과는 거리가 먼 이상적 한자음이므로 세조 이후(1485)에는 쓰이지 않았다. 이에 몇 가지 특징을 제시하면 다음과 같다.

첫째, 중국의 원음에 가까운 표기로 'ㄲ, ㄸ, ㅃ, ㅉ, ㅆ, ㆅ, ㆆ, ㅿ' 등을 초성에 사용하였다.

　虯꿀, 覃땀, 步뽕, 邪썅, 洪夢, 挹흡, 穰샹

참고

15세기의 각자병서인 ㄲ, ㄸ, ㅃ, ㅆ, ㅉ 등은 된소리 기능을 하지 못하였고, 대신 합용병서가 된소리 기능을 하였다.

　　쓰다, 뽈, 뜯, 뻬다

둘째, 초성, 중성, 종성을 반드시 갖추어 표기하였으며, 한자음 종성의 받침이 없으면 'ㅇ, ㅱ'을 붙여서 표기하였다.

　　虛헝, 斗둫, 步뽕, 票푱

셋째, 'ㄹ' 받침으로 끝난 한자어에는 반드시 'ㆆ'을 붙여 사용하였다. 이는 이영보래(以影補來)의 일종이다.

　　戌숧, 彆볋, 佛뿛, 日ᅀᆶ

참고 ─── 以影補來(이영보래)

影母(영모)인 'ㆆ'로써 내모(來母) 'ㄹ'을 돕는다는 뜻으로 동국정운 서문의 "又 於質勿諸韻 以影補來因俗歸正"(또한 質韻과 勿韻에 있어서 影母(ㆆ)로써 來母 (ㄹ)를 보충하여[50] 속음(俗音)을 바로 잡았다)에서 비롯된 말이다. 동국정운의 한자음 표기에서 舌內入聲의 한자 韻尾(운미)는 中古 한자에서는 /ㄷ/[t]로 발음되었는데 東音(동음)에서는 /ㄹ/로 변하였으므로 이것을 'ㄹㆆ'으로 표기하도록 규정한 것이다. 이 표기는 현실 발음과 중국의 본래 발음과의 절충을 꾀한 동국정운식 표기 원칙을 잘 보여준다.

---

[50] 'ㄷ → ㄹ+ㆆ'로 표기하였는데 이는 소리의 끝을 빨리 닫아 입성임을 표시한다.

② 월인천강지곡 한자음

1449년(세종 31)에 간행된 월인천강지곡은 다른 문헌과는 달리 한글을 먼저 표기하고 뒤에 한자를 썼으며, 동국정운식 한자음으로 표기했으나 종성이 없는 경우에는 'ㅇ, ㅸ'을 붙여 쓰지 않았다.

끵其끓一, 욍巍욍巍 무無량量무無변邊

③ 현실적 한자음

성종 이후에 간행된 소학언해, 사미인곡 등 대부분의 문헌에는 먼저 한자를 쓰고 뒤에 당시의 현실적 한자음을 병용하였다.

孔공子ᄌᆡ, 無무心심훈 歲셰月월은

④ 한자음 표기가 없는 경우

용비어천가나 두시언해 등은 한자만 적고 한자음 표기는 적지 않았다. 일종의 혼용 표기이다.

古聖이 同符ᄒᆞ시니, 防戌ᄒᆞᄂᆞᆺ 邊方ᄉᆞᄀᆞ술히

> **참고** ─ 붙여쓰기 ─
>
> 현대 맞춤법에서는 어절 단위로 띄어 쓸 것을 규정하고 있는데, 중세어의 문헌은 일반적으로 붙여쓰기의 원칙을 지키고 있다.
>
> 나랏말ᄊᆞ미中國에달아 〈훈민정음 언해〉
> 불휘기픈남ᄀᆞᆫㅂᄅᆞ매아니뮐씨 〈용비어천가 2〉

2.2. 정서법의 원칙

정서법의 원칙에 관한 문제는 현재에도 논란이 되고 있으나, 그 중에서 중요한 원칙은 다음과 같다. ① 발음과 철자의 일치, ② 문자를 읽고 쓰는 데의 용이성, ③ 철자의 경제성, ④ 어원의 표출, ⑤ 동음이의어의 배제, ⑥ 외래어와의 일치 등을 들 수 있다.

표기법에 있어서 무엇보다 중요한 것은, 음성기호와 같이 1자 1음의 구체적이며 엄밀한 전사법(轉寫法)이 아니라 음운체계를 고려하는 추상적인 표음법이다. 새로운 정서법을 설정할 때에는 1자 1음소의 원칙에 충실할 수 있으나, 대부분의 정서법은 그 사용 범위가 커지면 커질수록 문자의 시각적 특징이 고정되어 보수적인 경향을 띠기 때문이다. 우리나라에서는 1933년에 처음으로 제정되었고, 1945년 이후에 이것이 국가적으로 채택됨으로써 정서법이 확립되었다. 이후에 다시 1988년 1월에 개정 공포되어 1989년 3월부터 개정된 한글맞춤법의 시행을 보게 되었다.

현대 국어의 정서법은 주지하는 바와 같이 형태적 체계에 근거를 둔 표기법이다. 예를 들면 음운론적으로 이른바 중화(中和) 과정이라고 하는 음운 현상 때문에 모두 /낟/으로밖에 소리나지 않음에도 불구하고 '낟(穀), 낫(鎌), 났-(出), 낮(晝), 낯(面), 낱(個), 낳-(産)'과 같이 서로 다른 형태로 표기하고 있는데, 이와 같은 예는 형태적 표기 원칙을 잘 보여 준다. 그러나 모든 한글표기에 있어서 형태적 표기에 일관하고 있지 않다. 예를 들면, 불규칙 용언의 어간 중에는 소리나는 대로 적어 형태적 고정형을 포기하고 음운적 표기를 허용하는 경우도 있다.

국어정서법에서 형태적 조건에 참여하는 음소 또는 음소 결합들 가운데 어느 하나가 추상적 단위에 외형상으로 일치함으로써 그로부터 나머지 음소 내지 음소 결합들이 음운규칙에 의하여 설명될 수 있을 때 형태적 고정형을 취하고, 음운규칙에 의하여 설명할 수 없는 것은 고정형을 취하지 않음을 알 수 있다.

본질적으로 음소적 체계인 한글에 의한 현대국어의 정서법은 기본적으로 형태음소론적 체계에 접근하고 있는데, 음운론적으로 동일한 형태소에 서로 다른 시각적 기호를 사용하고 있는 것은 국어정서법이 한자와 일맥상통하는 일면을 보이는 예라 하겠다. 한글은 표음문자이지만 정서법은 거기에 표의문자적 특성까지 겸해 있음을 알 수 있다. 요컨대 현대국어의 정서법은 형태음소론적 체계에 근거를 둔 표기법이다.

3. 한국어의 문자

3.1. 훈민정음의 창제 원리

[1] 훈민정음의 제자원리

세종은 정음청을 궁중에 설치하여 집현전 학자들과 함께 실용정신에 입각하여 훈민정음을 만들었다. 글자를 초성, 중성, 종성 등 삼분법으로 나누어, 초성은 발음기관의 모양을 본떠 상형자의 기본자(ㄱ,ㄴ,ㅁ,ㅅ,ㅇ)를 만들었고, 그 밖의 글자들은 기본자에 획을 더한 가획자

(ㅋ; ㄷ,ㅌ; ㅂ,ㅍ; ㅈ,ㅊ; ㆆ,ㅎ)를 만들었다. 그리고 중성은 기본 3자를 天地人(·ㅡㅣ) 三才(삼재)를 본떠 만들고, 나머지 글자들은 서로 합하여 만들었으며(ㅗ,ㅏ,ㅜ,ㅓ,ㅛ,ㅑ,ㅠ,ㅕ), 종성은 초성을 그대로 사용하였다.

(1) 초성(자음, 17자)

五音	象形(상형)	기본자	가획	이체
牙音(아음)	혀뿌리가 목구멍을 막는 꼴 (牙音象舌根閉喉之形)	ㄱ	ㅋ	ㅇ [ŋ]
舌音(설음)	혀가 윗잇몸에 붙는 꼴 (舌音象舌附上顎之形)	ㄴ	ㄷ, ㅌ	ㄹ(반설)
脣音(순음)	입의 꼴(脣音象口形)	ㅁ	ㅂ, ㅍ	
齒音(치음)	이의 꼴(齒音象齒形)	ㅅ	ㅈ, ㅊ	ㅿ [z](반치)
喉音(후음)	목구멍의 꼴(喉音象喉形)	ㅇ[ɦ]	ㆆ[ʔ], ㅎ	

* ㅇ[ɦ]: 성문마찰음   * ㆆ[ʔ]: 성문폐쇄음

초성 17자에 병서 문자인 'ㄲ, ㄸ, ㅃ, ㅆ, ㅉ, ㆅ' 6자를 더해 23자의 체계를 보이면 다음과 같다.[51]

---

[51] 'ㆆ, ㅇ'은 형식적인 자음이지 실질적인 자음이 아니며, 위 음운에 빠진 'ㅸ'은 당시 훈민정음에 사용된 음운이다. 이는 동국정운식 한자음에 순경음을 채택하지 않았기에 제외된 것이다. 각 글자는 발음기관의 모양을 본떠서 만들었다(초성 17자 참조).

	全淸(전청)	次淸(차청)	全濁(전탁)[52]	不淸不濁 (불청불탁)
	예사소리	거센소리	된소리	울림소리
牙音(엄쏘리)	ㄱ 君 군	ㅋ 快 쾡	ㄲ 虯 뀰	ㆁ 業 업
舌音(혀쏘리)	ㄷ 斗 둫	ㅌ 呑 튼	ㄸ 覃 땀	ㄴ 那 낭
脣音(입시울쏘리)	ㅂ 彆 병	ㅍ 漂 푱	ㅃ 步 뽕	ㅁ 彌 밍
齒音(니쏘리)	ㅈ 卽 즉	ㅊ 侵 침	ㅉ 慈 쫑	
	ㅅ 戌		ㅆ 邪 쌰	
喉音(목소리)	ㆆ 挹 흡	ㅎ 虛 헝	ㆅ 洪 뽕	ㅇ 欲 욕
半舌音(반혀쏘리)				ㄹ 閭 령
半齒音(반니쏘리)				ㅿ 穰 샹

(2) 중성(모음, 11자)

'하늘(天), 땅(地), 사람(人)'을 본떠서 만들었다. 이 중 기본자 3자, 초출자 4자, 재출자 4자를 합해 11자를 만들었다. 기본자와 초출자는 단모음이고, 재출자는 이중모음이다.

① 기본자: ㆍ, ㅡ, ㅣ
② 초출자: ㅗ, ㅏ, ㅜ, ㅓ
③ 재출자: ㅛ, ㅑ, ㅠ, ㅕ
④ 이중모음: ㅛ, ㅑ, ㅠ, ㅕ, ㅢ, ㆎ, ㅚ, ㅐ, ㅟ, ㅔ, ㅘ, ㅝ
⑤ 삼중모음: ㅙ, ㅞ, ㅒ, ㅖ

---

52 전탁음은 각자병서의 글자로 'ㄲ, ㄸ, ㅃ, ㅆ, ㅉ, ㆅ' 음운이다. 이는 오늘날처럼 된소리 음가로 사용된 것이 아니라, 중국 원음에 가깝게 표기된 것이다. 그리고 'ㄲ, ㄸ, ㅃ, ㅆ, ㅉ'은 각각 전청음인 예사소리를 병서한 것이지만, 'ㆅ'은 예사소리의 병서가 아니라, 차청음인 거센소리의 병서이다.

	母音	陰陽	결합 방식	開口度	合成
初出字 二字合	ㅗ (洪)	陽	上下	ㅗ與ㆍ同而口蹙	ㆍ與ㅡ 合成
	ㅏ (覃)	陽	左右	ㅏ與ㆍ同而口張	ㅣ與ㆍ 合成
	ㅜ (君)	陰	上下	ㅜ與ㆍ同而口蹙	ㅡ與ㆍ 合成
	ㅓ (業)	陰	左右	ㅓ與ㆍ同而口張	ㆍ與ㅣ 合成

三才	字形	象形	혀의 위치와 음향도	제자원리	순 서
ㆍ	圓	天	舌縮而聲深	形之圓象乎天	天開於子
ㅡ	平	地	舌小縮而聲不深不淺	形之平象乎地	地闢於丑
ㅣ	立	人	舌不縮而聲淺	形之立象乎人	人生於寅

중세국어의 단모음은 'ㅏ, ㅓ, ㅜ, ㅗ, ㅡ, ㅣ, ㆍ'의 7모음 체계였다. 이 가운데 'ㆍ'는 음가가 소멸되기 시작하여 16세기에는 둘째 음절에서 'ㅡ'나 'ㅏ'로 바뀌었다. 이중 모음에는 'ㅑ, ㅕ, ㅛ, ㅠ, ㅘ, ㅝ'처럼 반모음이 앞서는 이중 모음과, 'ㆎ, ㅐ, ㅔ, ㅚ, ㅟ, ㅢ'처럼 반모음이 뒤에 놓이는 이중 모음이 있었다.

근대국어에서는 'ㆍ' 음가의 소멸로 첫음절에서 'ㆍ'가 'ㅏ'로 바뀌었으며, 이중 모음이었던 'ㅔ'와 'ㅐ'가 단모음으로 바뀌었다. 따라서 18세기말에 국어의 단모음은 'ㅏ, ㅓ, ㅜ, ㅗ, ㅡ, ㅣ, ㅔ, ㅐ'의 8모음 체계로 바뀌게 되었다.

근대국어의 이중 모음이던 'ㅟ'와 'ㅚ'가 현대국어에서 단모음으로 바뀌어 'ㅏ, ㅓ, ㅜ, ㅗ, ㅡ, ㅣ, ㅔ, ㅐ, ㅟ, ㅚ'의 10모음 체계로 자리잡게 되었다. 그 결과 이중 모음의 경우에 반모음이 뒤에 놓이는 하강 이중 모음인 'ㅢ'만 남게 되고, 반모음이 앞서는 상향 이중 모음이 주를 이루게 되었다. 그러나 'ㅚ'와 'ㅟ'는 다시 이중 모음으로 발음되는 것으로 보고 있기도 하다.

(3) 종성[받침]

훈민정음에서 종성에 관한 설명은 '終聲復用初聲, 初聲合用則並書 終聲同 然ㄱㆁ ㄷㄴㅂㅁㅅㄹ八字可足用也'라고 언급하였다.

① 종성부용초성(終聲復用初聲) 원칙
받침 종성은 초성 글자를 그대로 사용한다.

곶 됴코〈龍歌 2장〉, 깊고〈龍歌 34장〉, 빛나시니이다〈龍歌 80장〉

이 원칙의 적용은 용비어천가(8종성＋ㅈ,ㅊ,ㅍ)와 월인천강지곡(8 종성＋ㅈ,ㅊ,ㅌ,ㅍ)에 주로 나타난다. 그 이유는 악장가사를 만들어 훈민정음을 시험해 보고자 했기 때문이다.

② 팔종성법
세종 때부터 17세기까지 사용된 것으로 八終聲可足用(팔종성가족용)은 받침에 사용할 글자는 8자(ㄱ,ㆁ,ㄷ,ㄴ,ㅂ,ㅁ,ㅅ,ㄹ)만으로 족하다는 원칙이다. '낯디>낫디, ᄉᆞ몿디>ᄉᆞ뭇디, 븥는>븓는' 등처럼 대표음으로 적는 표기이다.

③ 칠종성법

17세기 말부터 20세기 초까지 사용된 것으로 받침에 7자(ㄱ,ㄴ,ㄹ, ㅁ,ㅂ,ㅅ,ㅇ)를 사용하는 원칙으로 '돋도록 → 돗도록, 걷고 → 것고, 묻 친→뭇친, 벋→벗, 뜯→뜻, 몯 → 못' 등의 예를 들 수 있다. 그러나 현재는 중세국어와는 달리 표기상의 칠종성법이 아니라 발음상의 칠 종성법(ㄱ,ㄴ,ㄷ,ㄹ,ㅁ,ㅂ,ㅇ)을 사용한다.

3.2. 한글의 특성

한글은 독창적, 과학적(발음기관), 체계적(가획의 원리, 결합의 원 리), 용이적(하루면 배울 수 있는 매우 쉬운 문자)이라는 점에서 높이 평가된다. 그 주요 특성을 제시하면 다음과 같다.

(1) 한글은 자음(발음기관)과 天地人(모음)을 본뜬 상형(象形)의 원리 로 과학적이고 체계적이다.

(2) 1443년 12월(음력) 세종대왕이 창제하여 1446년 9월(음력) 상순 반 포함으로써 한글 창제의 연도와 지은이가 분명하다.

(3) '감감하다, 깜깜하다, 캄캄하다 ; 빨갛다, 뻘겋다, 새빨갛다 시뻘겋 다' 등처럼 미세한 감각의 차이를 다양하게 표현할 수 있다.

(4) 하나의 표제어가 여러 개의 의미를 갖는 다의어의 특성을 갖는다. 예) 손: 신체의 손, 일손, 교제, 잔꾀 등

(5) 한글은 영어와 마찬가지로 소리글자(표음문자)이지만 풀어쓰기가 아닌 모아쓰기 방식을 사용하였다. 영어의 'Success'처럼 한글은 'ㅅ ㅓㅇㄱㅗㅇ'으로 풀어쓰기를 하지 않고 '성공'처럼 모아쓰기를 하 였다. 그 이유는 한자의 모아쓰기(초성＋중성＋종성) 방식을 따른

것이다. 따라서 세종은 한자를 배척하기보다는 그 장점을 수용한 것이다.

4. 한국어의 표기

4.1. 한자 차자표기

한국어의 역사를 살펴보기 위해서는 문헌 자료가 필요하다. 문헌 자료는 한자를 빌려 적은 자료와 한글로 적은 자료로 나눌 수 있다. 한글로 기록되어 있는 후기중세국어 시기의 자료 이전에는 한자(漢字)를 차자표기(借字表記)한 것으로 몇 가지 자료를 통해 알 수 있다.

(1) 서기체 표기

서기체(誓記體) 표기는 한문자를 우리말 어순에 따라 배열한 한자 차용 표기 방식을 말한다. 이 표기법은 한문을 모르는 사람이라도 한자를 어느 정도 아는 사람이면 누구나 이해할 수 있다. 서기체 표기는 임신서기석명(壬申誓記石銘)의 문체를 말하는데, 이 서기체 문장은 이두(吏讀) 자료와는 달리 토나 접미사와 같은 문법 형태의 표시가 없다. 다만 '之'자가 동사의 종결형을 나타내고 있을 뿐이다. 이두와 같이 산문(散文) 표기에 사용하였다.

壬申年六月十六日 二人幷誓記 天前誓
임신년 6월 16일에 두 사람이 함께 맹세하여 기록한다. 하느님 앞에 맹세한다.

(2) 향찰체 표기

주로 신라의 향가에 이용한 향찰체(鄕札體) 표기는 한자의 음과 훈을 빌려 문장 전체를 표기한 운문(韻文) 표기이다. 주로 어휘 형태는 한자의 뜻을 이용하고, 문법 형태는 한자의 음을 이용하였다. 다음은 <제망매가(祭亡妹歌)>의 일부이다. 이 가운데 훈(뜻)을 이용한 것은 '① 吾(나), 去(가), 如(다), 辭(말), ② 如(다), 云(니르), 去(가), ③ 秋(ᄀᆞ 술), 早(이르), 風(ᄇᆞ름), ④ 此(이), 彼(저), 浮(ᄠᅳ), 落(디), 葉(닙), 如(다)' 등이다. 그리고 음(音)을 이용한 것은 '① 隱(ㄴ), 內(ᄂ), 叱(ㅅ), 都(도), ② 毛(모), 遣(고), 內(ᄂ), 尼(니), 叱(ㅅ), 古(고), ③ 於(어), 內(ᄂ), 察(ㄹ), 隱(ㄴ), 未(매), ④ 矣(의), 良(어), 尸(ㄹ)' 등이다.

① 吾<u>隱</u>去<u>內</u>如辭叱都 　나는 가ᄂ다 말ㅅ도
② 毛如云遣去內尼叱古 　몯다 닏고 가ᄂ닛고
③ 於內秋察早隱風未 　어느 ᄀᆞ술 이른 ᄇᆞ르매
④ 此矣彼矣浮良落尸葉如 　이에 저에 ᄠᅥ딜 닙다이

(3) 구결체 표기

중국어식의 완전한 한문 원문에 토(吐)만 차자 표기한 방식을 구결체(口訣體) 표기라 한다. 구역인왕경(舊譯仁王經)의 예를 보이면 다음과 같다.

第一義隱(는) － 無刀(도) 無爲隱知沙(호디사) － 無亦飛隱亦羅(업시 ᄂ이라)

앞의 문장에서 '隱(는), 刀(도), 爲(ᄒ), 隱(ㄴ), 知(디), 沙(사), 亦(이), 飛(ᄂ), 隱(ㄴ), 亦羅(이라)' 등의 토만 차자표기로 적은 것이다. 또한 훈민정음이 창제된 이후에는 한글로도 구결을 표기하였다. 구결의 토 는 '隱(ᄐ), 爲(ᄼ), 刀(ᄁ), 尼(ᄂ), 厓(ᄀ) 叱(ᄂ), 飛(ᄐ) 등 약자를 만들 어 사용하기도 했다.

國之語音이 異乎中國ᄒ야

위의 <훈민정음언해>의 문장은 구결문(口訣文)이다. 이렇게 한문 원문에 우리말 식으로 읽을 수 있도록 토(口訣)를 달았다.

(4) 이두체 표기

이두체(吏讀體) 표기는 서기체 표기에 문법 형태를 보충하여 문맥 을 더욱 분명히 한 것이다. 주로 어휘는 한자어 그대로 사용하고, 토나 접미사, 그리고 특수한 부사만 한자의 음과 훈을 이용하여 표기한 것 이다. 주로 조사는 음차 표기를 하였으며, 접미사 표기에서 어간 부분 은 음차 표기를 하였다. 이러한 방식은 향찰체 표기에 반영하였다.

4.2. 한글 표기

훈민정음 예의(例義)에는 글자 운용에 관련된 이어쓰기(連書), 나란 히쓰기(竝書), 붙여쓰기(附書), 음절이루기(成音), 점찍기(加點) 등의 몇 가지 부대(附帶) 규정이 명시되어 있다.

(1) 연서법(連書法)(니서쓰기, 이어쓰기)

순음(脣音) 아래에 'ㅇ'을 이어쓰는 것으로 'ㅸ, ㅱ, ㆄ, ㅹ' 등이 있으며, 순수국어에 사용된 것은 'ㅸ'뿐이며, 나머지는 한자음에 쓰였다.

(2) 병서법(竝書法)(갈바쓰기, 나란히쓰기)

둘 이상의 낱글자를 합하여 쓸 경우 'ㄲ,ㄸ,ㅄ,ㅼ...'처럼 나란히 쓰는 규정으로 주요 특징은 다음과 같다.

첫째, 각자병서(各自竝書)가 있는데, 이는 같은 자음을 나란히 쓰기한 것이다. 'ㄲ, ㄸ, ㅃ, ㅉ, ㅆ, ㆅ' 등을 들 수 있다. 이들 글자는 된소리 글자로 초성 체계에서는 전탁음(全濁音)으로 규정되어 있으며, 주로 한자음의 표기에 사용되었다. 세종 때부터 세조 때까지 사용된 것으로 '覃땀, 便뼌, 字쫑, 혀' 등을 들 수 있다.

둘째, 합용병서(合用竝書)는 서로 다른 자음을 나란히 쓰기한 것으로 2자 병서와 3자 병서가 있다. 2자 병서는 'ㅅ'계로 ㅺ, ㅼ, ㅽ, ㅾ 등이 있으며, 20세기 초(1933)까지 사용되었으며, 'ㅂ'계는 'ㅳ, ㅄ, ㅶ, ㅷ'로 18세기까지 사용되었다. 3자 병서로 사용된 'ㅄ'계는 'ㅴ, ㅵ'로 16세기까지 사용된 것으로 '꿈, 짜(地), 뜯, 뿔, 뛰다, 뻬다, 째' 등을 들 수 있다.

(3) 부서법(附書法)(브텨쓰기, 부쳐쓰기)

초성과 중성이 합쳐질 때 중성(모음)이 놓이는 자리를 규정한 것으로 오늘날의 표기법도 이에 따르고 있다. 이 부서법은 자음과 모음의 음운을 음절이 한 글자처럼 인식시킨 성과가 있다. 즉, 자음에 모음을 붙여씀으로써 한 음절이 되도록 적은 것이다. 부서법에는 초성의 아래에 붙여쓰는 하서(下書)로 'ㅗ, ㅜ, ㅛ, ㅠ', 초성의 오른편에 붙여쓰는 우서(右書)로 'ㅏ, ㅓ, ㅑ, ㅕ, ㅐ,ㅔ' 등이 있으며, 초성의 아래와 오른편에 붙여쓰는 '하서+우서'로 'ㅚ, ㅟ, ㅘ, ㅝ, ㅙ, ㅞ' 등이 있다.

(4) 성음법(成音法)(음절 이루기)

'凡字必合而成音(믈읫 字ㅣ모로매 어우러ㅿ 소리 이ᄂ니)'의 규정으로 모든 소리는 서로 어울려야 음절을 이룰 수 있다는 뜻이다. '초성+중성+종성⇒성음'이 원칙이지만 고유어에서는 '초성+중성⇒성음'도 가능하다.

제7장

한국어사의 이해

1. 한국어의 계통과 특질

언어의 계통(系統)이란 친족 관계에 의해 수립된 언어들과의 관계를 이른다. 이 친족 관계의 여러 언어들을 동계(同系), 즉 동일 계통의 언어라 부르며, 이러한 동계의 언어들은 하나의 어족(語族)을 형성한다. 이처럼 친족 관계가 있는 언어들을 어족으로 분류하는 것을 계통적 분류라고 한다. 예를 들어 한국어의 계통이라 하면 원시부여어군과 원시한어군에서 부여·한어 공통어군의 관계로, 그리고 더 거슬러 올라가 알타이어족으로 맺어지는 관계를 말한다. 언어의 계통을 연구하려면 비교언어학적 방법에 의하여 분류하는 것이 좋다. 음운의 체계와 대응, 문법 체계의 비교연구, 어휘의 어원적 고찰 및 유사성 비교 등으로 계통적 분류를 검증해야 한다.

한국어의 계통 언어를 연구하기 시작한 것은 19세기 후반의 일이다. 한국어의 계통설은 몇 가지 있지만 크게 북방계설과 남방계설로 나눌

수 있다. 우리나라 건국 신화에도 천신의 하강으로 인한 북방계 신화
와 주로 난생(卵生)에 의한 남방계 신화가 있으며, 한국인의 유전자
역시 북방계 유전자 60%와 남방계 유전자 40% 정도의 혼합으로 이루
어져 있다고 한다.

(1) 북방계설

북방계설은 한국어를 알타이어족으로 보는 계통설이다. 처음에는
한국어를 우랄·알타이어족에 속한 것으로 보았으나 핀란드의 람스테
트(G.J. Ramstedt) 이후 알타이어족으로 분류하였다. 그는 핀란드어,
헝가리어, 에스토니아어 등의 핀·우그리아어족(Finno-Ugric family)
친족어로 분류하고, 한국어를 터키어군, 몽골어군, 퉁구스어군과 함께
묶어 알타이어족(Altaic family)으로 분류하였다. 람스테트는 알타이조
어의 근거지는 홍안산맥(興安山脈) 근처라고 보았다. 홍안산맥(興安
山脈)은 몽골 고원과 동북 대평원의 경계를 이루는 산맥이다. 이 홍안
산맥 동쪽으로 이동한 퉁구스인과 한국인이 갈라져서 북쪽에는 퉁구
스인[53], 남쪽에는 한국인이 자리 잡았고, 홍안산맥 서쪽으로 이동한
몽골인과 터키인은 다시 갈라져서 북쪽에는 몽골인, 남쪽에는 터키인
이 자리 잡았다고 보아 동시분화설(同時分化說)을 주장하였다. 이를
표로 보이면 다음과 같다.

---

[53] 퉁구스족의 대표 민족은 만주족이다. 이외에 구소련 지방의 나나이어(Nanai),
라무트어(Lamut) 등을 들 수 있다.

이에 대해 포페(N. Poppe)는 알타이제어에서 한국어는 '몽골어-만주-퉁구스어'보다 먼저 분화되었다는 조기분화설(早期分化說)을 주장했다. 즉, 한국어는 알타이어의 한 갈래이긴 하지만 다른 알타이어들과 가장 소원한 관계를 유지하고 있다는 것이다. 알타이 공통어에서 가장 먼저 한국어가 떨어져 나왔고, 그 뒤에 터키어가 분화되었으며, 그 다음으로 몽골어와 퉁구스어가 분화된 것으로 보았다.

이기문(1961)은 포페의 분화설을 기반으로 하여 다음과 같이 한국어의 분화 과정을 제시하였다.

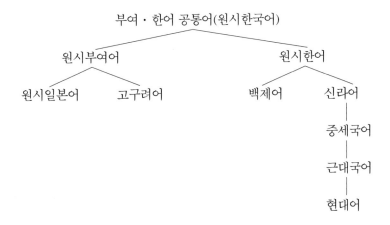

한국어는 부여 · 한어 공통어에서 원시부여어와 원시한어로 분화되고, 원시한어는 백제어와 신라어로 분화되었고, 신라어가 한국의 최초 통일언어로, 오늘의 한국어는 신라어를 근간으로 이루어진 것으로 보았다.

(2) 남방계설

남방계설은 남쪽 대양(大洋)에서 그 기원을 찾아 대양설이라고도 한다. 남부 투란계의 대표 언어인 드라비다어가 대양을 거쳐 한국에 들어왔다는 설이다. 드라비다어는 본래 인구어족(印歐語族)에 속하는 인도어와 이란어를 사용하는 종족이 남하하면서 원주민인 드라비다족은 인도의 남부로 밀려나 동남아시아 여러 섬으로 분산되면서 그 일부가 바다를 건너 한반도에 들어와 한족어권을 형성했다는 주장이다.[54] 그러나 이 남방계설은 일부 어휘의 유사성이 있는 것 외에는 음운적 대응이나 문법 체계의 일치가 부족해 그 근거가 약한 편이다.

(3) 알타이제어의 공통 특질

언어의 계통은 비교언어학적 방법에 의하여 설정된다. 그 대표적인 것이 음운의 체계와 대응이 있는지, 문법 체계의 공통성이 있는지, 그리고 어휘의 유사성과 어원적 고찰 등을 살펴보아야 한다. 이러한 검증으로 인한 알타이제어의 공통특질로 몇 가지를 들 수 있다.

첫째, 모음조화 현상이 있다. 모음조화란 두 음절 이상의 단어에서,

---

54 이철수(2002:40) 참조.

뒤의 모음이 앞 모음의 영향으로 그와 가깝거나 같은 소리로 되는 동화 현상이다. 'ㅏ', 'ㅗ' 따위의 양성 모음은 양성 모음끼리, 'ㅓ', 'ㅜ' 따위의 음성 모음은 음성 모음끼리 어울리는 현상이다

둘째, 어두에 유음, 특히 /r/이 오지 못하며, 중세국어에서 일시적으로 '뜯, 쏠, 빼' 등처럼 사용하였으나 현대어에서는 어두에 자음군이 오지 못한다.

셋째, 교착성(膠着性)이 분명한 첨가어적 특징을 갖는다. 이는 언어의 형태적 유형의 하나로 실질적인 의미를 가진 단어 또는 어간에 문법적인 기능을 가진 요소가 차례로 결합함으로써 문장 속에서의 문법적인 역할이나 관계의 차이를 나타내는 특징이다.

넷째, 모음교체나 자음교체가 없다. 하나의 어근 안에 있는 모음이 바뀌어 문법 기능이나 의미, 품사 따위가 달라지는 언어 현상으로 인도·유럽 어족에 주로 나타난다. 영어에서 'sing:sang'은 그 어간의 의미가 '노래하다:노래하였다'처럼 기본적 의미가 바뀌지 않는 반면에 한국어의 경우 '곱다:굽다', '막다:먹다' 등 모음이 바뀌면 그 의미가 전혀 다른 단어가 되는 것이다.

다섯째, 관계대명사 및 접속사가 없다. 인도·유럽 어족에서는 두 개의 용언이 접속사에 의해 연결되는데, 알타이제어에서는 선행 용언이 '먹고 가다'처럼 어간에 부사형어미를 첨가한다.

여섯째, 명사나 동사에 성(性)이나 수(數) 표지가 없다. 알타이제어의 성(性)이나 수(數)는 접사나 단어의 첨가로 나타낸다.

일곱째, 인도 유럽어나 중국어와 달리 주어 다음에 목적어나 보어가 오고, 서술어가 맨 뒤에 온다. 그리고 수식어가 피수식어 앞에 온다.

2. 한국어의 형성과 시대 구분

한국어의 형성은 국어의 계통과 관련이 있다. 국어의 계통은 그간 꾸준한 연구에도 불구하고 아직 분명하게 제시할 수 없다. 다만 몽골어군, 퉁구스어군, 터키어군 등과 함께 알타이어족에 속한다는 설이 현재로서는 가장 유력하다. 역사시대 이후 한반도와 만주 일대에 자리 잡은 우리 민족의 언어는 부여계(夫餘系) 언어와 한족계(韓族系) 언어로 나뉘어 있었으며, 삼국이 세워져 고구려어, 백제어, 신라어가 서로 간에 공통점과 차이점을 가지면서 각국의 언어 모습을 갖추게 되었을 것으로 본다. 그러나 이 시기의 언어에 대해서는 자료가 부족하여 정확한 실상을 알기 어렵다. 다만, 신라가 삼국을 통일하면서부터는 경주를 중심으로 언어가 통일되었으며, 발해는 고구려어를 이어받았을 것으로 추측된다. 이 시기의 국어를 고대국어라고 부른다.

고대국어의 모습은 분명하지 않지만, 알타이 조어에서 통일 신라어에 이르기까지의 언어를 말한다. 우리말의 계통은 대체로 알타이어족에 속하는 것으로 원시한국어(原始韓國語)에서 분화된 것으로 추정한다. 이는 다시 원시부여어(原始夫餘語)와 원시한어(原始韓語)로 분화되었다. 따라서 북방계 언어로는 부여, 고구려, 예, 옥저의 언어가 유사했으며, 남방의 언어로는 삼한과 신라의 언어가 비슷한 것으로 분류할 수 있다. 백제어는 지배족과 피지배족의 언어가 달라 지배족은 북방계 부여어, 피지배족은 남방계 한어를 사용하였다. 우리나라 고대어의 근간을 이루는 언어는 통일어로서의 위치를 확보한 신라어로 볼 수 있다.

2.1. 고대국어

[1] 고구려어

고구려어는 부여계어로 이에 대한 연구는 고려어를 이해할 수 있을 뿐만 아니라 북방 부여계제어의 전체적인 윤곽을 이해하는데도 도움이 된다. 예를 들어 고구려어로 골짜기를 「呑(탄)」, 城을 「忽(홀)」, 山을 「達(달)」이라 한 것을 보면 알 수 있다. 또한 고구려어는 알타이제어, 특히 퉁구스어군과 친족관계를 갖는다. 따라서 고구려어는 신라어나 중세국어에서 찾아볼 수 없는 많은 어휘를 갖고 있다. 그리고 고구려어는 고대일본어와 일치되는 어휘도 많은데 특히 '三 = 密(밀), 五 = 于次(우차), 七 = 難隱(난은), 十 = 德(덕)' 등 수사의 일치가 많았다.

[2] 백제어

백제 사람들은 본래 삼한(三韓)의 하나인 마한(馬韓)의 언어를 갖고 있었는데, 북쪽에서 온 부여족(소서노, 온조 등)이 이들을 정복하여 나라를 세웠다. 따라서 백제에서는 지배족(王族)의 언어(부여계어)와 피지배족의 언어(마한어)가 서로 달랐던 것으로 추측된다. 예를 들어 지배족의 언어로 왕을 '於羅瑕'(어라하)라 하였고, 피지배족의 언어로는 '鞬吉支'(건길지)라 하였다. 백제어는 신라어와 유사한 어휘도 적지 않았는데, 예를 들어 '맑다(淸)'를 '勿居(백제) : 묽(신라)', '물(水)'을 '勿(백제) : 勿(신라)' 등을 사용함을 알 수 있다. 백제어의 특징을 갖는 언어로는 성(城)을 '기(己)', 지명어로 '부리(夫里)', '곰(熊)'을 '金馬(고마)'라 했음을 들 수 있다.

[3] 신라어

신라어는 오늘의 국어의 근간이 된 최초의 통일 언어인 만큼 고대제어(古代諸語) 중에서 매우 중요한 의의를 갖는다. 그러나 고대어를 연구하는 데에 충분하지는 않다. 한자로 기록된 고유명사 및 향가 등을 검토해 보면 신라어는 문법이나 어휘에 있어서 고려어, 조선어로 계승되는 것을 알 수 있다. 이는 향가가 훈민정음 자료의 언어(15세기)로도 어느 정도 해독될 수 있다는 사실에 의해서 알 수 있다. 삼국을 통일한 신라어는 최초로 우리 언어를 하나로 통일시킴으로써 오늘날까지 단일어를 갖게 된 것이다.

2.2. 고려어

고려가 건국되면서 언어의 중심지는 경주에서 개성으로 옮겨 갔다. 고려어는 고구려어의 흔적이 남아 있기는 하지만, 신라어와 큰 차이가 없었다. 또한 조선이 건국하면서 언어의 중심이 지금의 서울로 옮겨졌으나 언어의 모습이 크게 달라지지는 않았다. 고려의 건국(10세기)부터 16세기 말까지의 국어를 중세국어라고 부른다. 중세국어는 전기중세국어(고려어)와 후기중세국어로 세분하기도 한다. 훈민정음이 창제되어 한글로 기록된 많은 문헌 자료가 있는 시기가 후기중세국어이다.

신라가 망하고 고려가 건국되자 신라의 서북 변방이었던 개성 지방이 정치문화의 중심지가 되었다. 따라서 국어도 경주 중심의 언어에서 개성 중심의 언어로 바뀌게 되었다. 그 결과로 개성지방의 언어가 새로운 중앙어로 성립됨으로써 현대국어인 서울말의 기저를 이루어 국어

사상 일대 전환이 이루어졌다. 오늘날의 국어는 이 중앙어가 조선시대를 거쳐 계승된 것이다. 개성지방은 본래 고구려의 옛 땅이었으므로 통일신라시대 이후 신라어를 근간으로 하면서도 고구려어의 일부가 저층에 깔려 있었던 것으로 추정한다.

고려어를 살필 수 있는 대표적인 문헌으로는 '鷄林類事(계림유사)', '鄕藥救急方(향약구급방), '朝鮮館譯語(조선관역어)' 등을 들 수 있으며, 이들은 모두 한자로 기록되었다. 좀더 구체적으로 살펴보면 '계림유사'는 고려 숙종 때 송나라 孫穆(손목)이 편찬한 것으로 고려어 365개 단어가 실려 있다. 그리고 '향약구급방'은 고려 중엽에 大藏都監(대장도감)에서 간행한 우리 나라 최고의 의약서이다. 여기에는 향약재가 되는 동물, 식물, 광물 등의 이름 180개가 실려 전한다. 그리고 '조선관역어'는 1403~1404년에 이루어진 것으로 華夷譯語(화이역어) 속에 들어 있으며, 중국어와 국어의 대역 어휘집으로 596개의 단어가 들어 있다. 10세기~14세기의 고려어는 향찰 사용이 쇠퇴하고, 한문에 의존하는 경향이 일반화되었으며, 吏讀(이두) 사용이 병존되었다.

2.3. 조선전기의 국어

조선전기의 국어는 우리의 고유문자인 훈민정음의 창제부터 임진왜란까지가 될 것이다. 종래에는 한문으로 기록하거나 한자를 빌려 우리말을 단편적으로 표기하였는데, 훈민정음의 창제로 당시의 우리말을 자유롭게 기록할 수 있게 되어 참된 민족문학이 형성될 수 있게 되었다. 고려의 도읍지인 개성에서 한양(서울)으로 조선의 도읍지가 바뀌면서 국어의 중심지도 전환되었지만, 경기 방언이 여전히 중앙어로서의 위치를 차지하였기에 크게 변화된 것은 없었다. 훈민정음이 창제되기 이전의 국어자료는 빈약하여 국어의 역사를 잘 알 수 없었으나, 훈민정음의 창제로 당시 국어의 모습을 전체적으로 자세히 알 수 있게 되었다. 그러므로 15세기는 우리말의 모습을 자세하게 알 수 있는 국어사의 첫 단계라고 할 수 있다. 조선전기의 국어를 이해할 수 있는 중요한 자료는 다음과 같다. 즉, 15세기의 자료로는 '훈민정음'·'용비어천가'·'석보상절'·'월인천강지곡' 등이며, 16세기의 자료로는 '훈몽자회·번역소학·천자문·소학언해' 등이 있다. 조선전기 국어의 음운체계 중, 주요한 특징은 첫째, 모음 'ㆍ'와 자음 'ㅿ, ㅸ, ㆁ,' 등이 사용되었고, 둘째, 모음 'ㅐ, ㅔ, ㅚ, ㅟ' 등이 모두 이중모음으로 사용되었으며, 셋째, 모음조화 현상이 매우 철저했다는 점이다. 그리고 조선전기 국어의 문법체계 중 주요한 특징은, 첫째 동사 어간의 합성이 매우 자연스럽게 이루어졌으며, 둘째, 'ㅎ' 말음 어간의 낱말('ㅎ' 종성 체언)이 많았고, 셋째, 명사나 동사 어간의 교체에 특수한 변화를 보이는 낱말이 많았으며, 넷째, 동사의 활용에서 특히 명사형 어미 '-ㅁ', 연결 어미 '-디' 등의 앞에서 '-오/우-'가 삽입되고, 다섯째, 관형격의 특수 용법, 즉 무정성의 낱말에는 'ㅅ'을, 유정성(有情性) 낱말의 평칭(平稱)에는 '의/의', 존칭에는 'ㅅ'이 사용되었으며, 여섯째, 대우표현, 즉 높임법·겸양법 등이 엄격하게 사용된 점 등을 들 수 있다.

다음으로 문자생활을 살펴보면, 훈민정음은 어느 문자를 모방하거나 기존의 문자를 수정하여 개조한 문자가 아니고 독창적으로 만든 문자이다. 지극히 과학적이며 체계적이고 철학성이 심원하다는 점에서 높은 평가를 받는다. 이러한 훈민정음의 특징을 들면 다음과 같다. 첫째, 훈민정음은 字母 28자(초성 17자, 중성 11자)의 체계로서, 초성의 기본자는 발음기관의 모양을 본떠 만들었고, 그 밖의 것은 기본자에 획을 더하거나, 모양을 달리하여 만들었다. 둘째, 중성은 ' ·, ㅡ, ㅣ'(天, 地, 人) 三才를 만들고, 이들을 서로 합하여 만들었다. 셋째, 자모의 운용에서 부서(附書)·연서(連書)·병서(竝書) 등의 서사법(書寫法)을 취했고, 넷째, 초성·중성·종성이 합하여 음절을 이루어 소리를 내는 성음법(成音法), 다섯째, 성조(聲調)를 표시하기 위하여 방점을 찍는 사성법 등을 특징으로 들 수 있다. 그러나 조선전기의 문자 생활에서 한자의 세력은 훈민정음의 창제 뒤에도 조금도 위축되지 않고 여전히 당시의 상층부의 문자 생활을 독점하고 있었다. 훈민정음은 주로 언해를 할 때에나, 시조나 가사 등의 작품을 기록하고, 궁중 여인들의 편지, 그리고 한문을 쓸 능력이 없는 사람 또는, 그러한 사람에게 글을 쓸 때에 주로 사용되었다.

2.3.1. 음운과 음운 규칙

[1] 음운

(1) 자음[초성]

자음인 초성 17字[55]는 훈민정음 제자원리에서 이미 설명하였듯이 발음기관의 조음 위치에 따라 모두 5가지로 만들었다. 우선, 혀뿌리가

---

[55] 훈민정음의 초성 17자는 'ㄱ,ㅋ,ㆁ,ㄷ,ㅌ,ㄴ,ㅂ,ㅍ,ㅁ,ㅅ,ㅈ,ㅊ,ㆆ,ㅎ,ㅇ,ㄹ,ㅿ'이다. 이외에 초성에 오는 음운은 연서자와 병서자가 있었다.

목구멍을 막는 꼴(牙音象舌根閉喉之形)의 아음(牙音)으로 'ㄱ, ㅋ, ㅇ [ŋ]'을 들 수 있는데 이는 현대 자음의 연구개음에 해당된다. 두 번째로 혀가 윗잇몸에 붙는 꼴(舌音象舌附上顎之形)의 설음(舌音)으로 'ㄴ, ㄷ, ㅌ, ㄹ'을 들 수 있는데 이는 현대 자음의 치조음에 해당된다. 세 번째로 입의 꼴(脣音象口形)의 순음(脣音)으로 'ㅁ, ㅂ, ㅍ'을 들 수 있는데 이는 현대 자음의 양순음에 해당된다. 네 번째로 이의 꼴(齒音象齒形)의 치음(齒音)으로 'ㅅ, ㅈ, ㅊ, ㅿ'을 들 수 있는데 현대 국어의 자음에는 치음이 없다.56 다섯 번째로 목구멍의 꼴(喉音象喉形)의 후음(喉音)으로 'ㅇ[ɦ], ㆆ[ʔ], ㅎ'을 들 수 있는데 현대 자음의 성문음(聲門音)에 해당된다.

이 가운데에서 현대 자음과 다른 음운('ㆁ, ㆆ, ㅇ, ㅿ')이 있다. 먼저 당시 아음인 'ㆁ[ŋ]'는 현대 받침의 'ㅇ' 소리와 같은데, 중세어에서는 초성에도 올 수 있었다.

(1) 'ㆁ'(옛이응)

'ㆁ'(옛이응)은 현대 국어에 쓰이는 종성의 'ㅇ'에 해당하는 것으로 글자의 모양만 바뀐 것으로 임란 이후에는 초성에 쓰이지 않았다.

첫째, 중세국어에서는 초성에서도 사용되었다.

바올(발음은 방올), 굴허에(발음은 굴헝에), 이에
사ᄅ시리잇고, 미드니잇가

---

56 세종이 치음으로 'ㅅ, ㅈ, ㅊ, ㅿ'을 든 이유는 기본자와 가획의 원리를 적용한 것으로 볼 수 있다.

둘째, 종성의 경우에 사용되었다.

　　즁싱, 밍ᄀ노니

(2) 'ㅇ[ɦ]'

'ㅇ[ɦ]'은 두 가지 종류로 사용됨을 알 수 있다. 첫째는 어두음이 모음임을 나타내거나 두 모음 간에 쓰여 '아옥'(葵), '에우'(圍) 등의 'ㅇ[∅]'처럼 두 모음이 각각 다른 음절임을 나타낸다.[57] 둘째로 'ㅇ[ɦ]'은 자음 음소로 성문유성마찰음이다.

　　가. 달아, 알어늘, 믈와, 놀애, 몰애
　　나. 앙이, ᄀ애, 겆위
　　다. 이오, 소리오

위에서 이들이 소리값이 없다면 (가)는 '다라, 아러늘, 므롸, 노래, 모래'가 되어야 하고, (나)는 '아ᄉ, ᄀ쇄, 거쉬'가 되어야 하며, (다)는 '이요, 소리요'로 적어야 한다.[58]

---

[57] 안병희 외(1990:58)에서는 〈훈민정음〉 해례 합자해의 "如孔子ㅣ魯ㅅ사롬之類"에서 '孔子ㅣ'는 '공ᄌ'의 모음 다음 'ㅣ'에 'ㅇ'을 덧붙이지 않은 것은 이 'ㅣ'가 독립된 음절이 될 수 없고, 앞의 '子'의 모음과 합하여 이중모음이 되기 때문이라고 하였다.

[58] 'ㅇ'은 자음 음가 '[ɦ]'음을 가진 음소이다. 선어말어미 '오/우'가 'ǐ'나 'ǰ' 뒤에서 '요/유'로 변해야 하는데, 그렇지 않은 것은 'ㅇ'이 하나의 자음 음소라는 것을 알려 준다.

중국 等韻學에서 疑母인 ㅇ[ŋ]와 喩母인 ㅇ[∅]음이 따로 존재했었으나 원대 이후 한어(漢語)의 어두 [ŋ]음이 소실되어 ㆁ음과 ㅇ음이 상사(相似)라고 하였다. 우리나라 제자해에서 ㆁ의 음가를 '舌根閉喉聲氣出鼻'라고 해서 [ŋ]이라 하였고, 종성해에서 ㅇ의 음가를 '聲淡而虛'라고 해서 Zero라고 하였다.[59]
중세국어의 'ㆁ'은 현대국어 'ㅇ'[ŋ]과 같은 음가를 가지지만, 초성에도 사용되었다. 엄격히 말하면 ㅇ[ɦ]은 '이고〉이오, 알고〉알오, 몰개〉몰애, ᄀ개〉ᄀ애' 등처럼 사용되었고, '모음, ㄹ, ㅿ' 아래서 'ㄱ[g]〉ㅇ[ɦ]'의 변화된 음가(자음)이므로 연철시켜서 표기하지 않았다. 즉, 'ㅇ'은 후음의 불청불탁음으로 '아ᅀᅵ, 爲윙ᅙᅣ'처럼 음가없이 어두음의 모음임을 표시하거나 '那낭', '此ᄎᆼ'처럼 성음법(초성+중성+종성)에 의해 종성으로 사용되었다.

(3) 'ㆆ'(여린 히읗)

'ㆆ'(여린 히읗)은 성문폐쇄음으로 우리말에서는 발음되지 않으며, 우리말의 음운도 아닌 글자이다. 이는 동국정운식 한자음의 표기를 위해 만들어진 것으로 보인다. 'ㆆ〉ㅇ'으로 변천되다가 세조 때 소멸되었다.

첫째, 동국정운식 한자음 표기에서 초성의 표기(음가가 있음)에 '挹흡, 安한'처럼 사용되었다.

둘째, 사잇소리의 표기로 'ㅇ'과 안울림소리 사이에 '虛헝ㆆ字ᄍᆞᆼ, 快쾡ㆆ字ᄍᆞᆼ' 처럼 쓰였으며, '하ᄂᆞᇙ뜬'에서 사용되었다.

셋째, 이영보래로 '戌슗, 彆볋' 등을 들 수 있다.

넷째, 우리말의 표기에서 관형사형 어미 'ㄹ'과 함께 쓰임으로 뒤에 오는 소리를 된소리로 만들어 주거나 소리를 끊어 읽는 절음부호로

---

[59] 姜信沆(1994:101-102) 참조.

사용되었다. 즉, 된소리 부호인 '홇배, 자싫제, 누리싫제'와 절음부호
인 '홇노미, 도라옳군사' 등의 예를 들 수 있다.

(4) 'ㅿ'(반치음, 여린 시옷)

'ㅿ'(반치음, 여린 시옷)은 울림소리 사이에서만 사용되던 문자로 소
멸시기는 임진란 이후(16세기)로 본다.

첫째, 'ㅅ'에 대립되는 치조유성마찰음으로 '아ᅀᆞ(아우), 여ᅀᅳ(여우),
ᄀᆞᅀᆞᆯ(가을), ᄆᆞᅀᆞᆯ(마을), ᄆᆞᅀᆞᆷ(마음)' 등을 들 수 있다.

둘째, 'ㅅ'을 끝소리로 가진 체언에 조사가 연결된 경우로 'ᄀᆞᆺ(邊)
애>ᄀᆞᅀᅢ, 엇(母)이>어ᅀᅵ' 등이 있다.

셋째, 'ㅅ' 받침으로 끝나는 불규칙 용언 어간에 모음의 어미가 연결
된 경우로 '닛어>니ᅀᅥ(이어), 붓+어>브ᅀᅥ(부어)' 등을 들 수 있다.

넷째, '눖믈'처럼 'ㅿ'이 울림소리 사이에서 사잇소리로 쓰였다.

다섯째, 'ㅿ>ㅈ'의 특수한 변화를 갖는 경우로 '몸ᅀᅩ>몸조(몸소), 손
ᅀᅩ>손조(손수)' 등이 있다.

(5) 'ㅸ'(순경음 ㅂ)

'ㅸ'은 순음인 'ㅂ'에 'ㅇ'을 연서한 문자로 울림 소리 사이에 쓰인
양순유성마찰음 [β]이었으나 15세기 중엽(세조)에 반모음 [w]로 변하
였다. 즉, 'ㅂ>ㅸ>오/우'로 양성모음 앞에서는 '오', 음성모음 앞에서는
'우'로 변함이 원칙이다.

첫째, 'w+ᄋᆞ>오, w+으>우'의 예로 '곱+ᄋᆞ+니>고ᄫᆞ니>고오니',

'덥+으+니>더ᄫᅳ니>더우니' ([β]>오[o]/우[u](단모음)

둘째, 'w+아>와, w+어>워'의 예로 '곱+아>고ᄫᅡ>고와', '덥+어>더ᄫᅥ>더워' ([β]>ㅗ[w]/ㅜ[w](반모음)

셋째, 'w+이>이, 위'의 예로 '곱+이>고ᄫᅵ>고이(곱게)', '쉬ᄫᅵ>수ᄫᅵ>수이>쉬' ([β]> ∅)

넷째, 'ㅂ>w>ㅇ>ㅂ'의 예로 '표범>표ᄫᅥᆷ>표웜>표범', '알밤>알ᄫᅡᆷ>알왐>알밤' 등이 있다.

(6) 'ㆅ'(쌍히읗, 'ㅎ'의 된소리)

'ㆅ'(쌍히읗, 'ㅎ'의 된소리)은 주로 'ㅣ' 선행 모음인 'ㅕ' 앞에서 쓰이면서 그것을 긴장시키는 기능을 했다. 'ㆅ'[x]은 'ㅎ'[h]의 된소리로 '혀다>혀다>켜다'에 사용된 것으로 '니르ᅘᅧ다'(起, 일으키다), 도르ᅘᅧ다(廻, 돌이키다), 치ᅘᅧ시니(치키다, 잡아당기다), ᅘᅧᆯ믈(썰물)' 등의 예를 들 수 있으며 이는 세조 이후 소멸되었다.[60]

_____

[60] '치ᅘᅧ다'(끌다) "ᄃᆞ리예 ᄠᅥ딜 ᄆᆞᄅᆞᆯ 넌즈시 치ᅘᅧ시니"〈용가 87〉, '도르ᅘᅧ'(부사,

(7) 'ㅇㅇ'(쌍이응)

'ㅇㅇ'(쌍이응)은 어두에서는 사용되지 않고, 이중모음을 가진 일부 피동(사동) 어간에 국한되어 사용되었으며, 특별한 음가를 가졌다기보다는, 주로 'ㅣ' 선행 모음 앞에서 그것을 긴장시키는 기능을 가졌다.

괴ᅇᅧ다(사랑받다), 히ᅇᅧ(하여금, 시켜), 얽미ᅇᅧ다(얽매이다)

(8) 병서

병서는 자음을 가로로 나란히 쓰는 것으로 동일한 음운을 나란히 쓰는 각자병서(各自並書)와 상이한 음운을 나란히 쓰는 합용병서(合用並書)가 있다.

① 각자병서

'ㄲ, ㄸ, ㅃ, ㅉ, ㅆ, ㆅ, ㅇㅇ'는 각자병서한 글자로서, 현대의 된소리 글자와 모습이 같으나 그렇게 널리 쓰이지 못하였다. 실제로 우리나라 한자음에는 경음이 없었으며 고유어에도 각자병서의 된소리 음은 매우 제한적이었다. 각자병서는 圓覺經諺解(원각경언해, 1465) 이후에 합용병서로 바뀌었다.

싸호는 한쇼룰 〈용비어천가 9〉

도리어), '도ᄅᆞ혀다'(돌이키다) '도ᄅᆞ혀(혀)'(廻首) "도ᄅᆞ혀 向홀씨니"〈월석 2:60〉, ':히·ᅇᅧ'(하게 하여, 하여금) [ᄒᆞ -(동)+이(사동)+여(어미)](轉成부사), '괴여'(我愛人, 사랑하다), '괴·ᅇᅧ'(人愛我, 사랑함을 받아), '쥐·ᅇᅧ'(쥐이어) "ᄂᆞ미 소내 쥐ᅇᅧ이시며"〈월석 2:11〉.

어울워 ᄡᅳᇙ디면 ᄀᆞᆯ바쓰라 〈훈민정음언해〉

니ㅅ소리〉니쏘리(사이시옷과 다음에 오는 첫소리 'ㅅ'과 합하여 된소리로 사용됨)

② 합용병서

합용병서에는 'ㅅ'계인 'ㅺ, ㅼ, ㅽ, ㅾ', 'ㅂ'계인 'ㅲ, ㅳ, ㅄ, ㅶ, ㅷ', 'ㅄ'계인 'ㅴ, ㅵ'이 있으며, 특수한 경우로 어두에 오는 'ㅆ'과 어말에 오는 'ㄺ, ㄱㅅ' 등이 있었다.

① 'ㅅ'系: ᄭᅮᆷ(꿈), ᄯᅡ(地), ᄲᅧ(骨), ᄶᅩᆨ(쪽)
② 'ㅂ'系: ᄞᅳ다(끄다), ᄠᅳᆮ(意), ᄡᆞᆯ(米), ᄧᅡᆨ(隻), ᄡᅳ다(用), ᄩᅳ다(彈, 타다)
③ 'ㅄ'系: ᄢᅳᆷ(틈,隙), ᄢᅴ(時), ᄢᅦ다(貫), ᄣᅢ(때,時), ᄣᅳ리다(裂)
④ 기타: ᄮᅡ히(사내), ᄒᆞᆰ(흙), 낛(낚시)

(2) 모음[중성]

훈민정음 제자원리에서 기술했듯이 기본자 'ㆍ ㅡ ㅣ'의 결합으로 초출자인 'ㅗ, ㅏ, ㅜ, ㅓ', 재출자인 'ㅛ, ㅑ, ㅠ, ㅕ', 그리고 이중모음인 'ㅛ, ㅑ, ㅠ, ㅕ, ㆎ, ㅢ, ㅚ, ㅐ, ㅟ, ㅔ, ㅘ, ㅝ', 삼중모음인 'ㅙ, ㅞ, ㅒ, ㅖ' 등을 만들 수 있다. 기본자 중 소멸된 모음은 'ㆍ'(아래 아)이다. 이 글자는 후설저모음으로 오늘날은 편의상 'ㅏ'로 발음하지만 'ㆍ'와 'ㅏ'는 그 형태적 표기에 따라 엄밀하게 의미가 구별되었다. 'ᄒᆞ다[爲] : 하다[多, 大], ᄃᆞ리[橋] : 다리[脚], 살[矢] : ᄉᆞᆯ[肉], 낯[個] : ᄂᆞᆾ[面], 말[言] : ᄆᆞᆯ[馬], 가는[行] : ᄀᆞᄂᆞᆫ[細]' 등의 구별이 있다.

'ㆍ' 음의 소멸은 16세기 이후이며, 문자의 소멸은 1933년이다. 첫음절에서는(18세기 후반) 주로 '·>ㅏ'로(ᄆᆞᆯ[馬]>말, ᄆᆞᆰ다[淸]>맑다), 둘째음절에서는(16세기 중반) 주로 '·>ㅡ'(ᄀᆞ득[滿]>ᄀᆞ득(16세기)>가득(18세기)이며, 이외에 '·>ㅗ'(ᄉᆞ매>소매), '·>ㅓ'(ᄇᆞ리다>버리다), '·>ㅜ'(아ᅀᆞ>아우), '·>ㅣ'(아ᄎᆞᆷ>아침)' 등으로 변천되었다.61

중세국어의 단모음은 7개로 양성모음인 '·, ㅏ, ㅗ'와 음성모음인 'ㅡ, ㅓ, ㅜ', 그리고 중성모음인 'ㅣ'가 있었다.

[2] 음운 규칙

(1) 모음조화(母音調和)

모음조화는 '가는, 고ᄫᅡ, ᄲᆞᄅᆞ다 : 여르니, 구버, 흐르다' 등처럼 앞 음절이 양성모음(·,ㅏ,ㅗ,ㅘ,ㅛ,ㅑ,ㅚ,ㅐ,ㅙ)이면 뒤의 음절도 양성모음, 앞 음절이 음성모음(ㅡ,ㅜ,ㅓ,ㅠ,ㅕ,ㅢ,ㅟ,ㅔ,ㅖ)이면 뒤의 음절도 음성모음을 이룬다. 모음조화는 15세기에는 엄격했으나, 후세에 내려오면서 문란해지다가 현재에는 의성어와 의태어, 용언의 활용형에서 부사형의 '-아(어)', 과거시제의 '-았(었)-' 등에서 지켜진다. 모음조화가 혼란해진 원인은 '·'가 소멸된 것이 가장 큰 이유이며, 이외에도 발음의 강화현상과 한자어와의 혼용을 들 수 있다.

중성모음은 대체로 그 앞의 선행 모음에 따라 결정되지만, 중성모음 앞에 선행모음이 없으면 음성 모음과 어울린다.62 그리고 모음조화가 일어나지 않는 경우는 현재선어말어미 'ᄂᆞ'의 경우로 '쓰ᄂᆞ니라, 우는'

---

61 ᄆᆞ술[村] → ᄆᆞ슬(16세기) → 마을(18세기).

62 예를 들어 'ᄀᆞᄅᆞ치오디(ᄀᆞᄅᆞ쵸디) '의 경우 '치'의 'ㅣ'가 중성모음이므로 그 앞의 'ᄀᆞᄅᆞ'가 양성모음이므로 선어말어미 '오'를 취한다. 그리고 '잇+어, 끼+어'처럼 어두에 'ㅣ'모음은 일반적으로 음성모음인 '어'와 결합한다.

등을 들 수 있다.

(2) 'ㅣ'모음 동화[母音變異]

'ㅣ'모음동화는 'ㅣ' 모음이나 'ㅣ' 후행 복모음 아래 단모음이 올 때, 단모음 'ㅏ, ㅓ, ㅗ, ㅜ, ㅡ'모음이 'ㅣ'모음과 만나서 그 영향으로 'ㅑ, ㅕ, ㅛ, ㅠ, ㅐ, ㅔ, ㅚ' 등으로 변하는 현상이다. 이는 다시 동화의 방향에 따라 'ㅣ'모음이 앞이냐 뒤이냐에 따라 'ㅣ'모음순행동화와 'ㅣ' 모음역행동화로 나뉜다. 전자의 예로 '드외+아>드외야, 쉬+우+ㅁ>쉬윰', 후자의 예로 ㅎ+이시아>히이시야, 겨시다>계시다' 등을 들 수 있다.

'ㅣ'모음동화가 일어나지 않는 경우는 'ㅣ'아래 'ㄱ'이 'ㅇ'으로 바뀐 경우로 '이고>이오, 히고>히오, 뷔거솨>뷔어솨'를 들 수 있으며, 또한 사동이나 피동 접미사(오/우)의 경우로 '샹ㅎ+이+오+디>샹히오디', 그리고 의문형 어미 '오'의 경우로 '엇뎨 구틔여 혜리오, 뭇디 아니ㅎ엿ᄂ니오' 등을 들 수 있다. 그리고 유음(ㄹ)과 치음(ㅈ,ㅊ,ㅅ)일 때도 일어나지 않는다. 예를 들면 '머리>머리, 보리>보리', '가지>가지, 까치>까치, 모시>모시'를 들 수 있다.

(3) 탈락과 축약

일종의 모음 충돌 회피로 탈락과 축약이 있다. 우선 탈락은 모음과 모음이 이어질 때, 매개모음 성격의 모음(·, ㅡ)에 일반 모음(ㅏ, ㅓ, ㅗ, ㅜ)이 이어질 때에는 '·, ㅡ'가 탈락된다. 예를 들면 '쓰+움>뿜, 트+아>타, ᄒ+옴>홈' 등을 들 수 있다.

다음으로 축약은 '음운 A ＋ 음운 B→음운 C'의 형식으로 'ㅣ' 단모음 아래 'ㅏ, ㅓ, ㅗ, ㅜ'가 오거나, 'ㅏ, ㅓ, ㅗ, ㅜ, ㅑ, ㅕ' 아래 'ㅣ'모음이 이어지면 축약되고, 'ㅗ＋ㅏ', 'ㅜ＋ㅓ'도 축약된다. 예를 들면 '너기＋어>녀겨, 바리＋옴>ᄇ룜, 나＋ㅣ>내, 오＋아>와, 저＋ㅣ>제, 어울＋우＋어>어울워' 등을 들 수 있다.

(4) 자음 충돌 회피

어간이 'ㄹ'로 끝나는 용언의 경우, 어간 'ㄹ' 아래 어미 'ㄴ,ㅿ' 등이 이어질 때 어간의 'ㄹ'이 탈락된다. 예를 들어 '일(成)＋ᄂ니>이ᄂ니, 밍ᄀᆯ＋노니>밍ᄀ노니, 일＋ᅀᆸ>이ᅀᆸ, 밍ᄀᆯ＋ᅀᆸ>밍ᄀᅀᆸ' 등을 들 수 있다. 또한 매개모음 '-ᄋ-/-으-'의 경우로 어간의 말음이 자음이고 어미도 자음이 이어질 때 매개모음 '-ᄋ-/-으-'가 삽입된다. 예를 들어 '잡＋ᄋ면>자ᄇ면, 잡＋ᄋ니>자ᄇ니, 잡＋올쎠>자ᄇ올쎠', '먹＋으면>머그면, 먹＋으니>머그니, 먹＋을쎠>머글쎠' 등을 들 수 있다.

(5) 설측음화(舌側音化)

유음(ㄹ)은 초성에서 날 때에는 혀굴림소리(설전음)로 발음되며, 종성에서 날 때에는 혀옆소리(설측음)로 발음된다. 예를 들어 '모라[mora]'의 'ㄹ'은 설전음[r]으로 혀를 굴려 내는 소리이며, '물[mul]'의 'ㄹ'은 설측음[l]로 이는 혀 끝을 잇몸에 대고 공기를 혀 옆으로 흘려 보내는 소리이다. 이러한 설측음화 현상은 '릭/르' 어간에 모음이 연결될 때, 'ㆍ/ㅡ'가 탈락되면서 'ㄹ'이 분철되어 설측음으로 발음된다.

① '르-ㅇ'의 경우

다르다(異): 다르+아〉달아, 다르+옴〉달옴, 다르+고〉다르고

오르다(登): 오르+아〉올아, 오르+옴〉올옴, 오르+고〉오르고

니르다(言): 니르+어〉닐어[63], 니르+움〉닐움, 니르+고〉니르고

ᄆᆞ르다(裁): ᄆᆞ르+아〉몰아, ᄆᆞ르+옴〉몰옴 ᄆᆞ르+고〉ᄆᆞ르고

② '르-ㄹ'의 경우

ᄲᆞ르다(速): ᄲᆞ르+아〉ᄲᆞᆯ라, ᄲᆞᆯ+옴〉ᄲᆞᆯ롬 ᄲᆞ르+고〉ᄲᆞ르고

모르다(不知): 모르+아〉몰라, 모르+옴〉몰롬, 모르+고〉모르고

흐르다(流): 흐르+어〉흘러, 흐르+움〉흘룸, 흐르+고〉흐르고

(6) 구개음화(口蓋音化)

중세국어(15세기부터 16세기)에서는 'ㄷ,ㅌ'이 'ㅣ'모음이나 'ㅣ'선행모음(ㅑ,ㅕ,ㅛ,ㅠ) 앞에서 발음되었으나, 17세기 말경부터는 'ㄷ,ㅌ'이 뒤의 'ㅣ'모음의 영향을 받아 발음하기 쉬운 경구개음 'ㅈ,ㅊ'으로 발음되었다. 이는 일종의 역행동화 현상이다. 예를 들면 '디다〉지다, 둏다〉좋다, 뎌긔〉져긔〉저기, 텬디〉쳔지, 티다〉치다' 등을 들 수 있다. 현대어와는 다르게 어근 자체에서도 구개음화 현상이 일어났다.

(7) 원순모음화(圓脣母音化)

순음 'ㅁ,ㅂ,ㅍ' 아래 오는 모음 'ㅡ'가 'ㅜ'로 변하는 현상으로, 이는

---

63 소학언해(1587)에는 '르-ㄹ'로 나타난다.
  예) 공지 증ᄌᆞ다려 닐러 ᄀᆞᆯᄋᆞ샤디

발음의 편리를 꾀한 변화라고 볼 수 있다. 이 현상은 15세기에 나타나기 시작하여 18세기에 많이 나타났다. 원순모음화가 일어나는 경우는 순음과 설음 사이에서 나타난다. 예를 들면 '므러>물어, 블>불, 프른>푸른'을 들 수 있다. 15세기에는 '믈[水] : 물[群], 브르다[飽] : 부르다[殖, 潤]'처럼 구별되는 경우도 있다.

(8) 전설모음화(前舌母音化)

중설모음인 'ㅡ'음이 치음 'ㅅ,ㅈ,ㅊ' 밑에서 전설모음 'ㅣ'로 변하는 현상으로 18세기 말 이후에 나타나는 일종의 순행동화 현상이다. '즛>짓, 즈레>지레, 즑>칡, 거츨다>거칠다, 슳다>싫다' 등을 들 수 있다.

(9) 단모음화(單母音化)

치음인 'ㅅ,ㅈ,ㅊ' 뒤에서 이중모음인 'ㅑ,ㅕ,ㅛ,ㅠ'가 앞의 치음의 영향을 받아 'ㅏ,ㅓ,ㅗ,ㅜ'의 단모음으로 바뀌는 현상으로 일종의 순행동화이다. 이는 18세기 말에 나타나기 시작하여 1933년 '한글맞춤법 통일안'에서 확정되었다. '셤>섬, 셰상>세상, 둏다>죻다>좋다, 쇼>소' 등을 들 수 있다.

(10) 이화(異化)

한 낱말 안에 같거나 비슷한 음운 둘 이상이 있을 때, 그 말의 발음을 보다 분명하게 하기 위해 그 중 한 음운을 다른 음운으로 바꾸는 것을 말한다. 여기에는 자음의 이화와 모음의 이화가 있는 데, 자음의 이화로는 '붊>북, 거붊>거북' 등이 있다. 그리고 모음의 이화로는 '소곰>소금, ᄀᄅ>가루, 보롬>보름, 처섬>처엄>처음, 서르>서로' 등을 들 수 있다.

(11) 강화(强化)

발음을 뚜렷이 하기 위해 음운을 바꾸는 현상으로 평음을 강음으로 하거나 모음조화를 파괴함으로써 일종의 발음을 강화시키는 현상이다. 이런 청각인상을 강화하려는 작용에는 평음을 경음으로 하는 경음화 현상(곶>꽃, 불휘>뿌리)과 평음을 격음으로 하는 격음화 현상(갈>칼, 고>코), 모음의 발음을 강화하려는 이화현상(서르>서로, 펴어>펴아), 음운 첨가(마>장마, 앗다>빼앗다, 호자>혼자) 현상 등을 통틀어 강화현상이라 한다.

(12) 첨가(添加)

불분명하거나 짧은 어형에 명료하고 강한 청각인상을 주기 위해 음운을 덧붙이는 현상으로 어두음 첨가, 어중음 첨가, 어말음 첨가 등이 있다. 강화현상과 약간의 차이가 있다면 강화가 한 음운을 다른 음운으로 변음시킴으로써 그 효과를 나타냄에 비하여 첨가는 별도로 음운을 덧붙여 그 효과를 나타내는 데 그 차이가 있다. 어두 음절 첨가로 '마>장마, 보>들보, 어중음 첨가로 '호자>혼자, ᄀ초다>감추다, 졈다>젊다, 넙다>넓다, 머추다>멈추다, 나ᄉ>나이>냉이, 죠희>종이, ᄒ아>ᄒ야', 그리고 어말음 첨가로 '짜>땅, 긷>기동>기둥' 등이 있다.

(13) 도치(倒置)

소리의 혼란으로 인한 현상의 일종으로 음운의 도치와 음절의 도치가 있다. 음운의 도치는 자음의 'ㄱ'과 'ㄷ,ㄹ', 모음의 'ㅏ'와 'ㅗ'가 발음의 혼동으로 뒤바뀜으로 어형이 바뀌는 경우이다. 예를 들면 자음의 '빗복>빗곱>배꼽, 이륵이륵>이글이글'과 모음의 '하야로비>해야로비>해오라비' 등을 들 수 있다. 음절의 도치는 선어말어미의 순서가 뒤바뀜으로 '-거시-, -더시-'가 '-시더-, -시거-'로 바뀌는 현상으로 오늘날에는 '-시-'가 앞에 온다. '하거시늘>ᄒᆞ시거늘, ᄒᆞ더시니>하시더니, 어이어신마ᄅᆞᄂᆞᆫ>어이시건마는' 등을 들 수 있다.

(14) 'ㄱ' 탈락 현상

'ㄱ' 탈락은 'ㅣ'나 'ㄹ'음 아래서 탈락하는 현상이지만, 실제로는 탈락이 아니라 유성발음 'ㄱ[g]'이 자음인 'ㅇ[ɦ]'으로 바뀐 것이다. 그러다가 16세기 말에 'ㅇ[ɦ]' 음가가 소멸된 것이다.[64]

　　아바님도 어이어신마ᄅᆞᄂᆞᆫ 〈사모곡〉
　　果實와 믈와 좌시고 〈월인천강지곡〉

(15) 'ㄹ' 탈락 현상

'ㄹ'이 탈락되는 현상으로는 우선 'ㅅ' 앞에서, 그리고 'ㄷ' 앞에서

---

[64] 尹錫昌 외(1973:540)에서는 서술격조사 '이' 아래에서, 형용사 '아니다'의 '-니' 아래에서, 타동사 '디다'의 '디-' 아래에서, 미래의 '-리-' 아래에서, 그리고 명사나 용언의 어간이 'ㄹ'로 끝난 경우에 'ㄱ'이 탈락한다고 했다.

탈락한다. 또한, 'ㄴ' 앞에서도 탈락한다.[65]

> 우뭇룡(〈우믌룡)이 내손모글 주여이다 〈쌍화점〉
> 날은 엇디 기돗던고(〈길돗던고) 〈사미인곡〉
> 스믈 여듧字를 밍ᄀ노니(〈밍ᄀᆯ노니) 〈훈민정음 언해〉

(16) 매개모음(媒介母音)

자음과 자음 사이에 발음을 부드럽게 하기 위해서 사이에 '-ᄋᆞ-/-으-'
를 넣는다. 이는 일종의 자음충돌의 회피현상으로 오늘날에는 '-으-'로
통일되었다.

   ① 양성모음의 경우: '-ᄋᆞ-'
    海東六龍이 ᄂᆞᄅ샤 〈용비어천가〉
    君ㄷ字 처엄 펴아 나는 소리 ᄀᆞᄐ니 〈훈민정음〉
    둘하 노피곰 도ᄃᆞ샤 〈정읍사〉

   ② 음성모음의 경우: '-으-'
    난ᄀᆞ티 들리도 업스니이다 〈악장가사, 사모곡〉
    敬天勤民ᄒ샤ᅀᅡ 더욱 구드시리이다 〈용비어천가 125〉

(17) 모음충돌 회피

일종의 Hiatus 회피 현상으로 두 모음 중 앞의 것을 탈락시킨다. 이는

---

[65] '우믈+ㅅ+룡)우뭇룡(우물의 용)', '길+돗(느낌의 현재형)+던고)기돗던고
(길던고)', '밍+ᄀᆞᆯ+ᄂ+오+니)밍ᄀᆯ노니)밍ᄀ노니(만드니)' 등.

음운탈락의 현상으로 '트[乘]+아>타, 쁴[用]+어>뻐, 더의[加]+움> 더움'을 들 수 있으며, 다음으로 두 모음을 간음으로 축약시키는 間音 化 현상으로 'ᄉ이>새[間], 가이>개[犬]', 그리고 매개자음을 사이에 넣는 것으로 '죠희[紙]>죠이>종이, 쇼아지>송아지' 등을 들 수 있다.

(18) 유음화 현상(流音化現象)

'ᄃ'이 유성음화되어 'ᄅ'로 바뀌는 현상으로, 우선 일반 모음 아래 서 '츠뎨>츠례[次弟], 낟악>나락[穀], 듣으니>들으니[聞]' 등을 들 수 있으며, 'ᄒᆞ리도소니>ᄒᆞ리로소니, ᄒᆞ리더니>ᄒᆞ리러니'처럼 미래시제 선어말어미의 '-리-' 아래에서 일어난다.

> ┌─ 참고 ─ 'ᄅ>ᄃ'의 현상 ─────────
> 이는 엄밀히 말해서 'ᄅ>ᄃ'의 변화가 아니라, 합성어 사이에서 사잇소리로 인
> 하여 'ᄅ' 종성이 탈락되는 현상이다. 즉, '설달>설ᄉ달>섯달>섣달, 이틀날>
> 이틀ᄉ날>이틋날>이튼날'이 되는 것이다.

(19) 유추(類推)

음운의 변동에 있어서 유추는 성격이 비슷한 말에서 공통의 유형 을 찾아, 이와 비슷한 다른 말을 공통된 유형에 맞추어 일치시키려는 심리적 현상에서 어형이 변화하는 것이다. 즉, 기억의 편리를 위하여 혼란된 어형을 어떤 유사한 기준형으로 통일시키려는 현상이다. '서 르>서로(부사 '-로'의 형태), 사올>사홀>사홀(열흘의 '-홀'), 아호>아 홉(닐굽, 여듧의 '-ㅂ'), 처엄>처엄>처음(어름, 믿븜의 '-음') 등을 들 수 있다.

(20) 오분석(誤分析)

오분석은 말의 형태를 잘못 분석함으로써 어형이 바뀌는 것을 말한다. 즉, 오늘날의 '같다'는 중세국어에서 '곧ᄒᆞ다'였으나, 표음적 표기로 'ᄀᆞᇀ다'라고 표기했는데, 후대의 사람들이 어형을 잘못 이해하여 '곹+ᄋᆞ다'로 생각했기 때문에 '곧ᄒᆞ다'가 '곹다>같다'로 변천했다. 또한 '풀+이'(주격) 형태를 표음표기하면 '프리(파리가)'가 된다. 따라서 '프리'를 단독 어형으로 보고 '프리+제로주격'으로 잘못 분석한 것이다. 이에 '풀'을 '프리>파리'로 표기한 것이다. 역시 '갖+이'(주격)의 형태를 표음표기한 '가지'를 단독 어형으로 보고, '가지+제로주격'으로 오분석하여 '갖'을 '가지'로 표기한 것이다.

(21) 민간어원설

말의 어원을 엉뚱한 것과 연결시켜 잘못 생각함으로써 어형이 바뀌는 현상을 의미한다. 예를 들어 '소나기'는 비가 올지 안 올지를 소를 걸고 내기를 하였다는 데서 유래하여 갑자기 오는 비를 '소내기>소나기'라 하였다. '힝ᄌᆞ쵸마'는 행주 산성의 여자들이 임진왜란 때 돌을 담아 나르던 치마란 데서 유래되었다. 이외에 '님금'에서 '금'의 어원을 '君'으로 삼고 '님군'으로 표기한 것도 민간어원설로 볼 수 있다.

2.3.2. 형태

용언의 용법을 중심으로 고찰하되, 활용어간에 의한 용법과 선어말어미에 의한 용법으로 나누어 살펴볼 것이다.

[1] 활용어간

1) 자음 어기의 경우

(1) 받침이 자음으로 끝나는 'ㅌ'은 자음으로 시작되는 어미와 만나면 'ㄷ'으로, 'ㅍ'은 'ㅂ'으로 'ㅈ, ㅊ'은 'ㅅ'으로 표기된다. 그러나 모음과 만나면 받침 그대로 연철 표기된다.

> 븥(附): 븓고, 븓게, 븓는 / 브터, 브트니
> 높(高): 놉고, 놉게, 놉는 / 노파, 노프니,
> 늦(晩): 늣고, 늣게, 늣는 / 느저, 느즈니
> 좇(追): 좃고, 좃게, 좃는 / 조차, 초츠니

(2) 겹받침의 'ㅺ'은 'ㅅ', 'ㅼ'은 'ㅅ', 'ㅄ'은 'ㅂ'으로 변이된다. 그러나 모음과 만나면 뒤의 받침이 연음되어 표기된다.

> 섰(混): 섯고, 섯게, 섯는 / 섯거, 섯그니
> 맜(任): 맛고, 맛게, 맛는 / 맛다, 맛디니
> 없(無): 업고, 업게, 업는 / 업서, 업스니

(3) 받침 'ㄹ'로 끝나는 어간은 'ㄴ, ㄷ, ㅈ'의 어미 앞에서는 탈락된다.**66**

> 알(知): 아ᄂ니, 아던 사롬, 아져
> 놀(遊): 노니, 노둧, 노져

---

66 그러나 현대어의 '아시니'와 달리 '알다'는 'ㅅ'과 만나면 '알+ᄋ+시+니〉아ᄅ시니'처럼 탈락되지 않는다.

(4) 받침이 'ㅎ'으로 끝나는 어간은 'ㄱ, ㄷ'의 자음 어미와 만나면
축약현상으로 'ㅋ, ㅌ'로 표기된다.

둏(好): 됴코, 됴타
놓(置): 노코, 노타

(5) 어간과 어미가 불규칙적으로 바뀌는 것이 있는데 다음과 같다.

① 'ㅅ'과 'ㅿ'
받침이 'ㅅ'으로 끝나는 용언 어간이 모음과 결합하면 유성음인 'ㅿ'
으로 바뀌는 경우가 있다.

벗(脫)+어/으니〉버서/버스니
솟(湧)+아/ᄋ니〉소사/소ᅀ니

짓(作)+어/으니〉지ᅀ어/지스니
닛(續)+어/으니〉니ᅀ어/니스니
븟(注, 腫)+어/으니〉브ᅀ어/브스니

罪롤 버서 地獄올 ᄭ올아나니 〈월인천강지곡 28〉
醴川이 소사나아 〈월인천강지곡 16〉

게우즌 바비나 지ᅀ어 〈상저가〉
聖神이 니ᅀ샤도 〈용비어천가 125〉
여러 가짓 香油 브스시고 〈法華 6:42〉
모기 막고 ᄀ장 브ᅀ어[67] 〈救急 57〉

② 'ㅂ'과 'ㅸ'

받침이 'ㅂ'으로 끝나는 용언 어간이 모음과 결합하면 유성음 'ㅸ'으로 바뀌는 경우가 있다.

잡(執)＋아/으니〉자바/자브니
굽(曲)＋어/으니〉구버/구브니

곱(麗)＋아/으니〉고바/고ᄫᆞ니
굽(炙)＋어/으니〉구버/구ᄫᅳ니

어마님 자ᄫᆞ샤 〈월인천강지곡 上7〉
구븐 남ᄀᆞ로 밍ᄀᆞ론 그릇 〈宣賜內訓 1:16〉

고ᄫᆞᆫ 쫄 얻니노라 〈석보상절 6:13〉
만히 머구디 봇그며 구버 ᄀᆞ져ᇧ 먹더니 〈월인석보 21:54〉

③ 'ㄷ'과 'ㄹ'

용언 어간 받침이 'ㄷ'인 경우에 모음과 결합하면 'ㄹ'로 바뀌는 경우가 있다.

묻(埋, 染)＋어/으니〉무더/무드니
얻(得)＋어/으니〉어더/어드니
곧(直)＋아/으니〉고다/고ᄃᆞ니

묻(問)＋어/으니〉무러/무르니

---

67 '喉閉深腫(목이 막히고 크게 부어)'의 의미이다.

걷(步)＋어/으니〉거러/거르니

듣(聞)＋어/으니〉드러/드르니

긷(汲)＋어/으니〉기러/기르니

돌홀 무드시니 〈월인천강지곡 上10〉

피 무든 홀굴 파 가져 〈월인석보 1:7〉

놉고 고드며 〈석보상절 19:7〉

도즈기 겨신 딜 무러 〈용비어천가 62〉

거르며 셔며 〈석보상절 6:33〉

어마님 드르신 말 엇더ᄒ시니 〈용비어천가 90〉

瓶의 므를 기러 두고ᅀᅡ 가리라 ᄒ야 〈월인석보 7:9〉

④ '잇'과 '이시'

'잇'은 자음 어미와, '이시'는 모음 어미 앞에서 사용된다.

잇＋고/더니〉잇고/잇더니**68**

이시＋어/오딕〉이셔/이쇼딕

⑤ '녀'와 '니'

녀＋ㄹ시(씨)니/디〉녈시(씨)니/녀디

녀＋거시든〉니거시든

---

68 공명자음(ㄴ,ㄹ,ㅁ)을 제외한 자음어미 앞에서 '이시-'가 '잇-'으로 바뀐다. '이
시다(있다, 有)~이샤, 이셔, 이셔는, 이쇼니, 이시며, 이시나, 이시란딕, 이시
료, 이시리니/잇다, 잇고, 잇더니 등.

流는 믈 흐를씨오 行온 녈씨니 〈월인천강지곡 上31〉

東이 니거시든 西夷 ᄇ라ᅀᆞᆸᄋᆞ니 〈용비어천가 38〉

참고 ── '녀-'가 '거' 앞에서 '니-'로 바뀜 ──

예를 들면, '녀다(다니다, 行), 녀(보니), 녀(가다), 녀디(아니ᄒᆞᄂᆞ다), 녀매 /니거든, 니거늘, 니거시니, 니거지라, 니거지이다'를 들 수 있다. 그러나 '녀-'가 '거'류 어미 앞에서 '니-'로 바뀌지 않고 사용된 예가 더러 보인다.

머리 그 中에 **녀거든** 〈法華 3:155〉

불휘예 ᄂᆞ려 **녀거놀** 〈두시언해 重2:64〉

---

2) 모음 어기의 경우

용언어간의 '륵/르'가 모음으로 시작하는 어미와 결합하면 초성음인 'ㄹ[r]'음이 'ㄹ[l]'음으로 바뀌고, 'ᅌᆞ/으'는 탈락된다.

(1) 'ㄹ-ᅌᆞ'의 경우

① 다륵다(異)

   다륵＋아〉달아, 다륵＋옴〉달옴, 다륵＋고〉다륵고

② 오륵다(登)

   오륵＋아〉올아, 오륵＋옴〉올옴, 오륵＋고〉오르고

③ 니르다(謂)

   니르＋어〉닐어, 니르＋움〉닐움, 니르＋고〉니르고

④ ᄆᆞᄅᆞ다(裁)

   ᄆᆞᄅᆞ＋아〉ᄆᆞᆯ아, ᄆᆞᄅᆞ＋옴〉ᄆᆞᆯ옴, ᄆᆞᄅᆞ＋고〉ᄆᆞᄅᆞ고

⑤ 고륵다(調)

고ᄅᆞ＋아〉골아, 고ᄅᆞ＋옴〉골옴, 고ᄅᆞ＋고〉고ᄅᆞ고

⑥ 기르다(養)

기르＋어〉길어, 기르＋움〉길움, 기르＋고〉기르고

⑦ 두르다(圍)

두르＋어〉둘어, 두르＋움〉둘움, 두르＋고〉두르고

(2) 'ㄹ-ㄹ'의 경우

① ᄲᆞᄅᆞ다(速)

ᄲᆞᄅᆞ＋아〉ᄲᆞᆯ라, ᄲᆞᆯ＋옴〉ᄲᆞᆯ롬　ᄲᆞᄅᆞ＋고〉ᄲᆞᄅᆞ고

② 모ᄅᆞ다(不知)

모ᄅᆞ＋아〉몰라, 모ᄅᆞ＋옴〉몰롬, 모ᄅᆞ＋고〉모ᄅᆞ고

③ 흐르다(流)

흐르＋어〉흘러, 흐르＋움〉흘룸, 흐르＋고〉흐르고

④ 부르다(呼)

부르＋어〉불러, 부르＋움〉불룸, 부르＋고〉부르고

⑤ 므르다(退)

므르＋어〉믈러, 므르＋움〉믈룸, 므르＋고〉므르고

[2] 선어말어미

중세국어의 선어말어미는 그 기능에 따라 높임표현[경어법]의 선어말어미, 시간표현[시제법]의 선어말어미, 화자의 의지표현[의도법]의 선어말어미 등이 있다.

1) 높임법의 선어말어미

높임법의 선어말어미는 ① 문장의 주어인 주체높임을 나타내는 것으로 '-시(샤)-', ② 목적어에 해당되는 사람이나 사물을 높이는 객체높임의 '-ᅀᆞᆸ-, -ᅀᆞᆸ-, -ᅀᆞᆸ-', ③ 청자에 대한 높임으로 상대높임의 ᄒᆞ쇼셔체 선어말어미인 '-이(잇)-'이 사용된다.

① -시- : 四祖ㅣ 便安히 몯겨샤(샤+아)[69] 현고돌 올마신뇨 〈용비어천가 110〉

四祖ㅣ 인이 ᄀᆞ외어늘 德源 올ᄆᆞ샴[70]도 하ᄂᆞᆶ 뜨디시니 〈용비어천가 4〉

시름 ᄆᆞᄉᆞᆷ 업스샤디[71] 이 지븨 자려 하시니 〈용비어천가 102〉

② -ᅀᆞᆸ- : 房 올 아니 받ᄌᆞᄫᅡ 法으로 막ᅀᆞᆸ거늘 〈원인천강지곡 상36〉

잡ᄉᆞ와 두어리 마ᄅᆞ론 〈가시리〉

-ᅀᆞᆸ- : 그르세 담아 남녀를 내ᅀᆞᄫᆞ니(내ᅀᆞᆸᄋᆞ니) 〈월인천강지곡〉

내 니믈 그리ᅀᆞ와(그리ᅀᆞᆸ아) 우니다니 〈정과정〉

-ᅀᆞᆸ- : 부텻 功德을 듣ᄌᆞᆸ고 〈석보상절〉

三賊이 좇ᄌᆞᆸ거늘 〈용비어천가 36〉

---

[69] 높임 선어말어미 '-시-'가 모음으로 시작되는 어미와 만나면 이형태 '-샤'가 되고 어미는 탈락된다. 예) 몯+겨시+아〉몯+겨샤+아〉몯+겨샤.

[70] 옮+ᄋᆞ+샤('시'의 이형태)+오(선어말어미)+ᄆ(명사형어미)〉옮ᄋᆞ샴('오'의 탈락)〉올ᄆᆞ샴.

[71] 없+으+샤('시'의 이형태)+오(선어말어미)+디(설명형어미)〉없으샤디('오'의 탈락)〉업스샤디.

③ -이-: 聖孫이 一怒ᄒ시니 六百年 天下ㅣ 洛陽애 올ᄆ니이다 〈용비
어천가 14〉

몃 間 ᄃ지븨 사ᄅ시리잇고72 〈용비어천가 110〉

2) 시간표현의 선어말어미

중세국어 시간표현 선어말어미에는 현재형의 '-ᄂ(노)-', 과거형의
'-더(러/다)-/-거-/-어(아)-/, 미래형의 '-리(ㄹ)-'가 있다.

(1) 현재 시제

중세국어 현재 시제의 선어말어미에는 '-ᄂ-'가 있다.

① 져믄 아ᄃ론 바ᄂᆞᆯ 두드려 고기 낛ᄀᆞᆯ 낙술 밍ᄀᆞᄂ다 〈두시언해〉
② 몰ᄀᆞᆫ ᄀᆞ롮 ᄒᆞᆫ 고비 ᄆᆞᅀᆞᆯᄒᆞᆯ 아나 흐르ᄂ니 〈두시언해〉
③ 새로 스믈여듧字ᄍᆞᆼᄅᆞᆯ 밍ᄀᆞ노니 〈훈민정음 언해〉
④ 이 믈이 쇠거름 ᄀᆞᆺ티 즈늑즈늑 것ᄂ다 〈老乞大下 8〉

현재시제는 ①, ②에서처럼 선어말 어미 '-ᄂ-'를 사용한다. '-ᄂ-'는
선어말 어미 '-오-'와 결합되면 ③에서처럼 '-노-'로 바뀐다. 그리고 ④
에서처럼 근대국어에서는 '-ᄂ-'으로 사용되었다.

---

72 상대높임 선어말어미 '-이-'가 의문형어미로 될 경우에는 '-잇-'으로 바뀐다.

(2) 과거 시제

중세국어의 과거 시제 선어말어미에는 '-거(과)/어-', '-더(다)-'가
있다.

① 미친 스룸 되거고나(되었구나) 〈萬言詞〉
② 곳 디는 時節에 또 너를 맛보과(거+오)라 〈두시언해〉
③ 궁중에 사룸 잇눈 주를 알아니와 〈내훈〉
④ 눕 드려 니르디 아니ᄒ더든(아니하였거든) 〈월인석보 19:34〉
⑤ 내 니믈 그리ᅀᆞ와 우니다니 〈정과정곡〉

화자의 믿음이나 느낌의 태도를 나타낼 경우에 ①처럼 자동사에
'-거-'가, ③처럼 타동사 뒤에 '-어(아)-'가 붙는다. ②는 '-거-'에 선어
말 어미 '-오-'가 결합된 경우이다. 그리고 ④의 과거 회상의 선어말어
미 '-더-'는 선어말어미 '-오/우-'와 결합하면 ⑤처럼 '-다-'로 바뀐다.

그리고 중세국어에는 과거를 나타내는 선어말어미 형태의 '-앳/엣-'
이 있는데, 이는 과거 시제라기보다는 동작상인 '-아 잇/어 잇-'의 완료
상으로 본다.

① 훈 번 주거 하눌해 갯다가 또 人間애 ᄂ려오면 〈월인석보 2:19〉
② 보미 왯눈 나그내눈 〈두시언해〉
③ 잣 앉 보미 플와 나모ᄲᅮᆫ 기펫도다 〈두시언해〉

과거 어느 한 시점을 나타내는 과거시제와는 달리 과거 어느 시점에
서 행위가 시작되어 현재에 그 행위가 끝난 완료상의 의미로 ①의 '갯'

은 '가+아+잇(가 있-)'으로, ②의 '왯'은 '오+아+잇(와 있-)'으로, 그리고 ③의 '기펫-'은 '깊+어+잇(깊어 있-)'으로 분석된다.

(3) 미래 시제

미래를 나타내는 선어말어미에는 '-리-'가 있다.

① 聖神이 니스샤도 敬天勤民호샤아 더욱 구드시리이다 [73] 〈용비어천가 125〉

② 靑山애 살어리 살어리랏다 〈악장가사, 청산별곡〉

위의 예문에서 ①은 '굳으실 것입니다'는 '-ㄹ 것-'으로 미래로 해석되는데, ②의 '-리-'는 '살겠도다'의 화자의 강한 의지를 나타내는 서법으로 보아야 한다. 이는 현재 사용되는 '-겠-'의 의지를 나타내는 서법과 같다.[74]

3) 피동 및 사동의 선어말어미

피동법은 어간에 피동접미사인 '-이-, -히-, -리-, -기-'가 결합한 것이며, 사동법은 어간에 '-이-, -히-, -리-, -기-, -오/우-, -구-, -호-'의 사동접미사가 결합한다. 특수한 경우로 '여'를 사용하여 피동형으로 사용하

---

[73] 聖神이 이으셔도 敬天勤民(하늘을 공경하고 백성을 다스리기에 부지런함)하셔야 더욱 굳으실 것입니다.

[74] '제가 먼저 일어서겠습니다.'(의지), '나도 그 일을 할 수 있겠다.'(가능) 등과 같은 예문은 미래시제라기보다는 화자의 주관적 판단인 서법으로 보아야 할 것이다.

였으며, '흐다'라는 동사에 '이'들 붙여 '하게 하다', '시키다'의 뜻으로
사용할 때에는 그 줄어진 형태의 '희'를 사용한다.

(1) 피동접미사

    니믜 알퓌 드러 얼이노니(시집보내지니) 〈동동〉

    모옴의 <u>민친</u>(및+히-ㄴ) 실음 〈사미인곡〉

    믌 뉘 누리는 기퍼 모리 <u>죰기고</u>(잠기고) 〈두시언해초 15:8〉

    괴여 → 괴예(사랑을 받아)

(2) 사동접미사

    그르세 담아 남녀를 <u>내ᅀᆞ붕니</u>(나+이+ᄡ+ᄋᆞ+니=태어나게 하다)
      〈월인천강지곡〉

    모매 몬지 <u>무티시고</u>(묻+히+시+고=묻게 하시고) 〈월인석보 21:219〉

    모딘 도ᄌᆞᄀᆞᆯ <u>믈리시니이다</u>(믈(退)+리+다=물러나게 하다) 〈용비어
      천가 35〉

    투구 아니 <u>밧기시면</u>(밧+기=벗기시면) 〈용비어천가 52〉

    征伐ᄒᆞ몰 <u>ᄀᆞ초아</u>(ᄀᆞᆽ+호+아=갖추어) ᄒᆞ놋다 〈두시언해초, 25〉

    降服<u>희</u>(ᄒᆞ+이)리잇고(항복시키겠습니까?)

4) 화자 의도의 선어말어미

(1) -오/우-

현대어에서는 볼 수 없는 중세어의 특수 형태의 선어말어미인 '-오/
우-'가 있었는데, 이는 화자나 대상의 의도법을 표시하는 문법 요소이

다. 따라서 'ㅎ(니, 려, 라>호(니, 려, 라), ㅎ니라>ㅎ노라', 'ㅎ더니(라)>
ㅎ다니(라), ㅎ거라>하과라'에서처럼 '-니, -려, -라', '-더, -거' 등이
'오'와 결합하여 '호-, -노, -다, -과'로 된다. '-오-'는 음성모음 아래에
서는 '-우-'로, 서술격조사 아래에서는 '-로-'(이＋오＋라>이로라)로
바뀌며, 주체높임 선어말어미 '-시-'와 만나면 '-샤'로 바뀐다.

평서형어미와 연결어미에 나타나는 '-오-'는 문장의 주어가 화자임
을 표시한다. 관형사형에 나타나는 '-오-'는 꾸밈을 받는 명사가 의미
상의 목적어이거나 부사어일 때 주로 나타나는데, 'ㅎ>혼, ㅎᄂ>ㅎ논,
ㅎ던>ㅎ단, ㅎᄒ>홀' 등에서와 같이 관형사형 앞에 나타난다.

또한, '가＋ㅁ>가옴, 먹＋우>머굼', '명사형어미 '-ㅁ'과 '묻＋디>무
로디', 숣＋디>술ᄫ디'에서처럼 설명형어미 '-디' 앞에서도 '-오/우-'가
나타난다.

① 일반적으로 화자가 자신의 의도를 드러내므로 1인칭 주어와 호
응된다.

㉠ 사ᄅᆞᆷ마다 ᄒᆡ여 수비 니겨 날로 <u>ᄡᅮ메</u> 便安킈 ᄒᆞ고져 〈훈민정음언해〉
㉡ <u>술ᄫᆞ디</u> 情欲앳 이른 ᄆᆞᅀᆞ미 즐거ᄫᅥᅀᅡ ᄒᆞᄂᆞ니 〈월인석보 2:5〉
㉢ <u>올모려</u> 님금 오시며 〈용비어천가 16장〉
㉣ 내 이것 <u>업수라</u> 〈法華2:244〉
㉤ 五百弟子ㅣ 各各 <u>第一이로라</u> 〈월인석보 21:199〉
㉥ 새로 스믈여듧 字를 <u>밍ᄀ노니</u> 〈훈민정음 언해〉

㉠은 'ᄡᅳ＋우＋ㅁ(ᄡᅮㅁ, 사용함)＋에'로 명사형 어미 앞에 '-우-'가

ⓛ은 '솗(사뢰다)+오+딕', '묻(問)+오+딕>무로딕'로 설명형어미 '-
딕' 앞에 선어말어미 '-오-'가 결합된 것이다. 그리고 ⓒ은 의도형어
미 '-려' 앞에 선어말어미 '-오-'가 결합하여 '옮+오+려>올모려'가
된 것이며, ⓔ은 '-라' 앞에서 '없+우+라>업수라'가 된 것이다. ⓜ
은 서술격조사 'ㅣ' 아래에서는 '오'가 '로'로 바뀐다. 그리고 ⓑ은
주어 대명사가 話者 자신(제1인칭)일 때에 '-오-'가 결합된다.75 그러
나 2인칭 주어와 호응되는 청자의 의도를 나타내는 경우에는 의문문
의 형태로 기술된다.76

> 主人이 무슴 차바눌 손소 둔녀 밍ᄀ노닛가 太子롤 請ᄒᆞᇸ바 이받ᄌ
> 보려 ᄒ노닛가 〈석보상절6:16〉

② 주어가 1인칭일 경우 '-더-, -거-'에 '-오-'가 결합되어 '-다-, -과-'
  가 된다.

> 岐王ㅅ 집 안해 샹녜 보다니 〈두시언해 16:52〉
> 곳 디ᄂ 時節에 쏘 너롤 맛보과라 〈두시언해 16:52〉

③ 주체높임 선어말어미 '-시-'와 만나면 '-샤'로 바뀐다. '샤'는
  '시+아'로 분석하여 삽입모음에 하나의 이형태(異形態)로서
  '아'를 따로 설정하는 견해도 있으나, '시+삽입모음'의 경우에

---

75 이런 점을 중시하여 '-오-'를 제1인칭 활용으로 처리하기도 한다.
76 드물기는 하지만, 주어 명사가 聽者(제2인칭)일 때에도 '-오-'가 쓰이는 일이
  있다.
  (너) ……다시 모디(반드시, 必, 要) 안조디 端正히 호리라 〈몽산법 2〉

나타나는 '시'의 이형태로 보고 삽입모음은 탈락하는 것으로 보
아야 한다.

가＋샤(시의 이형태)＋오(탈락)＋ㅁ〉가샴
크＋샤(시의 이형태)＋우(탈락)＋디〉크샤디
* '-(으)시-'는 모음 어미 앞에서 '-(으)샤'로 교체됨

④ 관형절에서도 꾸밈을 받는 명사가 꾸미는 말의 의미상의 목적어
일 경우에 '-오-'가 결합된다.

겨집들히 나혼 子息[77]
얻논 藥이 므스것고[78] 〈월인석보 21:215〉

동작의 주체인 동작주의 의도가 반영될 경우에는 관형사형에 나타
나기도 한다.

이런 젼ᄎ로 어린 百姓이 니르고져 홇배이셔도[79] 〈훈민정음 언해〉

(2) -니-

'ᄒᆞᄂᆞ니라 : ᄒᆞᄂᆞ다, ᄒᆞᄂᆞ니이다 : ᄒᆞᄂᆞ이다, ᄒᆞ더니라 : ᄒᆞ더라' 등과
같이 비교가 가능하므로 어미의 일부로 보기도 하지만, 학자에 따라서는

---

[77] 꾸밈을 받는 명사가 주어인 경우에는 '-오-'가 결합되지 않는다.
　　예) 子息 나혼 겨집들.
[78] 얻논〉얻＋ᄂᆞ＋오＋ㄴ〉얻는, 므스것고〉무엇인고.
[79] 홇배이셔도〉ᄒᆞ＋오＋ㄹ＋ㆆ＋바＋ㅣ＋잇＋어＋도(하는 바가 있어도)

'-(♡/으)니, -(♡/으)ㄴ'을 과거의 선어말 어미로 보는 의견도 있다.

하나빌 미드니잇가 〈용비어천가 125장〉
獄(옥)온 罪(죄) 지슨 사롬 가도ᄂᆞᆫ 짜히니 〈월인석보1:28〉

위의 예문은 '할아버지를 믿었습니까?', '옥은 죄 지은 사람 가두는 땅이니'처럼 과거로 해석해야 자연스럽다. 이는 관형사형어미 '-(♡/으)ㄴ-'이 동사에 연결될 때에 과거시제 표현 기능을 갖기 때문이다.

(3) -거-

화자의 주관적 믿음을 표시하는 선어말어미로 앞에서도 언급했만 '-오-'와 결합되면 '얻과라, ᄒ과라'에서와 같이 '-과-'로 바뀐다. 이러한 '-거-'는 '주어다, 바다다(받+아+서)'에서처럼 타동사 아래에 선택되는 '-어/아-'와 대립을 이루고 있다. '-거늘/-어늘'은 '거/어'가 떨어진 '늘'이 연결 어미로 쓰이는 일이 없기 때문에 '-옴, -오디'의 경우처럼 '-거늘/-어늘' 전체가 하나의 형태소가 된다. 종결법에서는 평서형(가거다, 가리어다)과 의문형(가거녀), 명령형(가거라)에서도 나타난다. 연결법에서는 '-니' 앞에서 나타나는 일이 많으며(가거니, 가리어니), 관형사형으로 사용된 예도 있다(가건). 그리고 未來시제 추측법 '-리-'의 뒤에서는 '-어-'로 나타난다(가리어다, 가리어니).

(4) -돗-

'-돗-'은 화자의 감동적인 느낌을 반영한 일종의 감탄법의 선어말어

미로 '흐돗다〉흐도다'에서처럼 자음 위에서 'ㅅ'이 떨어져 '-도-'가 된
다.[80] 그리고 미래 시제 추측법 선어말 어미 '-리-' 뒤에서 '-로-', '-롯-'
으로 형태 바꿈한다(흐리로다, 흐리로소니, 이롯더라).

'-돗-'과 유사한 형태로 '-눗(롯, 옷)-', '-ㅅ-', '-닷-', '-샷-'이 있다.

도망흐야 나온 이롯더라[81] 〈老乞大諺解上45〉

苦樂法을 알에 흐시눗다 흐시고[82] 〈월인석보21:9〉

患難 하매 便安히 사디 몯흐소라[83] 〈두시언해8:43〉

父母 孝養 흐시닷다 흐고 〈월인석보21:208〉

世尊이 世間애 나샤 甚히 奇特흐샷다 〈월인석보7:14〉

┌─ **참고** ─ 과거시제의 '-돗-' ──────────────────────┐

'-돗-'이 형용사 뒤에서는 ①처럼 강세의 의미를 가지나, 동사 어간 다음에 오
면 ②, ③, ④처럼 과거시제로 해석된다.

① ᄀᆞ둑 시름한디 날은 엇디 기돗던고(길던가) 〈사미인곡〉

② 이리야 교틱야 어즈러이 흐돗썬디(하였던지) 〈속미인곡〉

③ 오뎐된 鷄鷄聲셩의 줌은 엇디 ᄭᅢ돗던고[84] 〈속미인곡〉

④ 몃 萬年을 사도썬고[85] 〈선상탄〉

└──────────────────────────────────┘

---

80 '흐도소이다[흐돗ᄋᆞ이다〉흐돗오이다〉흐도소이다.

81 '이롯더라〉이+롯(ㄴ+옷)+더라(이로구나)'.

82 '흐시눗다〉흐+시+눗(ㄴ+옷)+다(하시는구나)'.

83 '몯+흐+ㅅ+오+라(못하시도다)'.

84 방정맞은 닭소리에 잠은 어찌 깨었던고.

85 사도썬고〉살+돗+더+ㄴ고(살았던가).

2.4. 조선후기의 국어

임진왜란 이후 조선사회는 문화, 경제, 사상 등 다방면에 걸쳐 격심한 변화를 가져왔다. 양반들은 점차 그들의 권위를 잃어가게 되었으며, 더욱이 실학의 발달로 새로운 서민의식이 싹트게 되었다. 이런 가운데 언어 역시 크게 변화가 일어났다. 특히 조선전기의 15세기와 조선후기의 17세기의 문헌에 나타나는 국어의 차이는 매우 큰 것으로, 이 차이는 갑작스런 변화에서 온 것이 아니고 16세기를 거치면서 나타난 음운, 문법, 어휘의 거듭된 변화의 결과였다.

이런 변화된 음운적 특징을 정리하면, 우선 15세기 국어에 사용된 사성의 성조가 16세기 이후 사라졌고, '△, ㆁ'도 15세기에는 철저히 쓰이던 것이 16세기 후반에 점차 사라지면서 17세기 국어에는 그 모습을 완전히 감추었다. 그리고 어두 자음군이 된소리로 변하였으며, 어두평음이 많은 단어에서 된소리 또는 유기음으로 변하였다. 또한 양순음(ㅁ,ㅂ,ㅍ) 밑에서 원순모음화가 일어났다. 그리고 18세기에는 'ㆍ' 모음이 완전히 소멸하였으며, 구개음화 현상이 일어났다.

어휘적인 특징으로는 '뫼, ㄱ룸, 슈룹, 아슴' 등 순수한 고유어들이 많이 소멸되었으며, 단어의 의미가 변화되었다. 예를 들면 '스랑ㅎ다(생각하다 → 사랑하다)'로, '어리다(어리석다 → 어리다)'로, 그리고 '어엿브다(가엾다 → 예쁘다)'를 들 수 있다. 문법체계면에서 17세기 문헌에 주격조사 '가'의 사용이 나타났으며, 처소격 조사 '에, 애, ㅣ, 의, 예'가 '에'로, 관형격 조사 'ㅣ, 의'가 '의'로 단순화되는 경향을 보였다. 그리고 선어말어미 '-오/우-'가 17세기 이후 소멸되었다.

17세기부터는 음운, 어휘, 문법에서 그 이전의 국어와는 매우 다른 모습을 보인다. 그러므로 17세기 초기부터 19세기 말까지의 300년 동안의 국어를 근대국어라고 한다. 그리고 20세기 이후의 국어는 현대국어라고 부른다.

■ 참고문헌

姜圭善(2001), 훈민정음 연구, 보고사.

강규선·황경수(2003), 중세국어문법론, 청운.

姜信沆(1984), 國語學史, 보성문화사.

_____(1990), 訓民正音 研究, 성균관대출판부.

高永根(1981), 중세국어의 시상과 서법, 탑출판사.

_____(1983), 國語文法의 研究, 탑출판사.

_____(1995), 단어 문장 텍스트, 한국문화사.

고영근·구본관(2008), 우리말 문법론, 집문당.

고영근·남기심(1997), 중세어 자료 강해, 집문당.

고영근·남기심(1985), 표준국어문법론, 탑출판사.

곽충구(1980), "16세기 국어의 음운론적 연구", 국어연구 43, 국어연구회.

구본관(1996), "15세기 국어의 파생법에 대한 연구", 서울대 대학원 박사 논문.

김동소(1998), 한국어변천사, 형설출판사.

_____(2002), 중세한국어 개설, 한국문화사.

金敏洙(1971), 국어문법론, 일조각.

_____(1979), 신국어학, 일조각.

김성규(1993), "중세국어 성조의 변화에 대한 연구", 서울대 대학원 박사 논문.

김영욱(1997), 문법형태의 연구방법: 중세국어를 중심으로, 박이정.

김영황(1994), 중세어 사전, 한국문화사.

김완진(1971), 국어음운체계의 연구, 일조각.

_____(1977), 중세국어 성조 연구, 일조각.

김진우(1986), 현대언어학의 이해, 한신문화사.

김진우(2014), "세계 속의 한글과 한국어", 이해교육의 확장과 통합, 한국
    국어교육학회 추계학술대회 발표논문.

南廣祐(1960), 國語學論文集, 一潮閣.

_____(2006), 古語辭典, 교학사.

민현식(1990), "중세국어 시간부사 연구", 서울대 대학원 박사논문.

_____(1991), 國語의 時相과 時間副詞, 개문사.

박덕유(1998), 國語의 動詞相 硏究, 한국문화사.

_____(1999), 중세국어강해, 한국문화사.

_____(2002), 문법교육의 탐구, 한국문화사.

_____(2007), 한국어의 相 이해, 제이앤씨.

_____(2010, 2018), 중세국어문법의 이론과 실제, 박문사.

_____(2012), 학교문법론의 이해, 역락.

_____(2017), 이해하기 쉬운 문법교육론, 역락.

박덕유·강미영(2018), 쉽게 풀어쓴 한국어 문법, 한국문화사.

박덕유·이옥화·송경옥(2013), 한국어문법의 이론과 실제, 박문사.

朴榮順(1986), 韓國語統辭論, 집문당.

_____(1998), 한국어 문법교육론, 박이정.

_____(2002), 한국어 문법교육론, 박이정 출판사.

안병희·이광호(1990), 중세국어문법론, 학연사.

우인혜(1997), 우리말 피동연구, 한국문화사.

尹錫昌 외(1973), 古典國語正解, 관동출판사.

이관규(2004), 학교문법론, 월인.

李基文(1972), 고전국어, 지학사.

_____(1978), 국어사개설, 탑출판사.

李南淳(1981), "現代國語의 時制와 相에 대한 硏究," 國語硏究 46.

李崇寧(1961), 中世國語文法, 을유문화사.

李翊燮(1992), 國語表記法研究, 서울大學校出版部.

_____(1986), 국어학개설, 학연사.

이익섭·임홍빈(1983), 國語文法論, 학연사.

이익섭·채완(1999), 국어문법론강의, 학연사.

이을환·이철수(1977), 韓國語文法論, 개문사.

李喆洙(1992), 國文法의 理解, 인하대출판부.

_____(1993), 國語文法論, 개문사.

_____(1994), 國語形態學, 인하대출판부.

_____(1997), 韓國語音韻學, 인하대출판부.

_____(2002), 國語史의 理解, 인하대출판부.

이철수·박덕유(1999), 文法教育論, 인하대학교출판부.

이철수·문무영·박덕유(2010), 언어와 언어학, 역락.

이현희(1994), 중세국어구문연구, 신구문화사.

李熙昇·安秉禧(1989), 한글 맞춤법 강의, 신구문화사.

任洪彬(1987), "국어 부정문의 통사와 의미", 국어생활 10.

張京姬(1985), 現代國語의 樣態範疇 研究, 탑출판사.

정문수(1984), "相的 特性에 따른 韓國語 풀이씨의 分類," 문법연구 5.

蔡 琬(1986), 國語語順의 研究, 탑출판사.

최현배(1937=1978), 우리말본, 정음사.

黃炳淳(1986), "국어 동사의 상 연구," 배달말 11호.

홍종선 외(2015), 쉽게 읽는 한국어학의 이해, 한국문화사.

Bloomfield, L. (1933), *Language*, New York, Holt, Rinehart & Winston.

Brown, G., & Yule(1983), *Discourse Analysis*, Cambridge, Cambridge University Press.

Bühler, K.(1933), *Die Axiomatik der Sprachwissenschaften*, Frankfurt:

Klosternmann.

Comrie, B.(1976), *Aspect,* Cambridge Univ. Press.

Coulmas, F. (1989), *The Writing Systems of the World,* Oxford, Blackwell.

De Beaugrande, R. & W. Dressler(1981), *Introduction to Text Linguistics,* London, Longman.

Fillmore, C. J. & Langendoen, T. (1972), *Studies in Linguistic Semantics,* New York: Holt, Rinehart and Winston.

George Yule(1985), *The study of language,* cambridge University Press.

Jakobson, R.(1960), "Linguistics and Poetics", Sebeok(ed.), *Style in lahguage,* Cambridge, Mass: MIT. Press.

Jean Aitchison(1999), *Linguistics* : Hodder and Stoughton Teach Yourself Books.

Ogden C.K. & Richards, I.A.(1923,1930), *The Meaning of Meaning,* rev. New York: Harcourt Brace Jovanovich.

Ronald W. Langacker, *Language and Its Structure,* Harcourt, Brace & World, 1968, Inc.

Sampson, G.(1985), *Writing Systems : A Linguistic Introduction,* Stanford University Press.

Saussure Ferdinand de(1916, 1935), *Cours de linguistique generale,* Paris: Payot.

Sturtevant, Edgar H.(1947), *An Introduction to Linguistic Science,* New Haven: Yale University Press.

Vachek, J. (1973), *Written Language : General Problems and Problems of English,* The Hague, Mouton.

■ 찾아보기

》》》＿＿＿ ㄱ

'ㄱ' 탈락 현상　235
가나문자　191
가능법　148
가변어　85
가역성　5
가차　191
가획자　200
각자병서　209, 227
간접 인용　160
간접명령문　127
감정적 내포　169
감정적 의미　169
감탄문　124
감탄법　148
감탄사　103
감탄의문문　126
강화　234
개념설　2, 165
개념적 의미　168, 185
개별언어학　37
객체높임법　135
거센소리　53
격조사　90
겹문장　116
겹받침　61
경계법　148

경구개음　52
경어법　129
경음화　56
계통적 분류　211
고구려어　217
고대국어　216
고려어　218
고모음　49
고모음화　51
고유명사　86
고정부　46
고정적 지시 대상　10
고정형　25
공공언어　31
공명음　42, 53
공시언어학　38
과거 시제　141, 247
과학적　205
관계적 반의　180
관어적 기능　18
관형사　100
관형어　109
관형적 접두사　81
관형절　117
교착성　215
구강음　41
구개음화　70, 232

구결체 표기 207
구역인왕경 207
구와 절 106
구조의미론 172
구조적 의미 170
군호 27
굴절접사 81
규칙 활용 97
근대국어 256
금기 185
금기어 185
기본삼각형 164
기본자 200
기본적 의미 166
기술의미론 172
기초적 의미 166
기호성 6
긴 관형절 117
긴 사동문 154
긴 피동문 151

≫ ─── ㄴ
남방계설 214
낮춤말 136
내포적 의미 168
높임말 136
높임법 129
높임법의 선어말어미 245
능동 149
능동부 46
능동사 149

≫ ─── ㄷ
다의어 180
다의현상의 원인 181
단계적 반의 179
단모음 48
단모음화 51, 233
단순 평서문 123
단어 79
단어문자 190
단어의 이어짐 121
단음문자 191
단일어 79
대명사 87
대조언어학 39
도미문 8
도치 235
독립성분 104
독립어 112
독립언 85, 103
동국정운식 한자음 196
동사 93
동사 파생 82
동사상 144
동시분화설 212
동음어 182
동음이의어 182
동의 충돌 177
동의어 175
동작상 144
동작언어 27
동태의미론 172

동화　60

된소리　53

드라비다어　214

》》》＿＿　ㄹ

‘ㄹ’ 탈락　98

‘ㄹ’ 탈락 현상　235

랑그　166

》》》＿＿　ㅁ

마찰음　53

맞춤법　192

매개모음　236

명령문　127, 162

명령법　148

명사　86

명사 파생　82

명사절　116

명시적 의미　168

모음　48, 228

모음 어기의 경우　243

모음 축약　71

모음 탈락　71

모음동화　60, 68

모음조화　214, 229

모음충돌 회피　236

목적어　107

무성음　41

무정명사　86

문맥적 의미　167

문법적 의미　170

문자언어　1, 27

문자의 발달과정　188

문장 부사어　111

문장 성분　104

문장부사　102

문장의 어순　113

문장의 이어짐　121

문화적 전승　11

미래 시제　143, 248

민간어원설　238

》》》＿＿　ㅂ

반모음　50

반어의문문　125

반의어　178

반치음　225

받침의 대표음화　55

발동부　45

발성부　45

발음상의 칠종성법　205

발화행위　20

백제어　217

변이음　47

병렬합성어　84

병서　227

병서법　209

보어　107

보조동사　95

보조사　92

보조용언　93, 95

보조형용사　95

복합어 79
본격적 의미 170
본용언 93, 95
부사 101
부사 파생 82
부사어 110
부사의 기능 102
부사절 118
부서법 209
부속성분 104, 109
부여계 언어 30, 216
부정법 155
부정부사 102, 112, 155
북방계설 212
분절기호 75
분절음 41
분철표기 194
불규칙 활용 98
불변어 85
불역성 5
불완전명사 86
비강음 41
비교언어학 39
비동화 60
비성절음 43
비언어적 방법 27
비음 53
비음동화 66
비음화 54
비자동적 교체 77
비지속음 42

비통사적 합성어 82

〉〉〉____ ㅅ
사동 152
사동법 152
사동사 152
사동접미사 249
사성법 221
사잇소리 현상 72
사전적 의미 168, 170
사회성 3, 4
사회적 계층 26
사회적 원인 184
사회적 의미 169
산문 표기 206
산열문 8
상 138, 144
상대높임법 132
상보적 반의 179
상보적 분포 77
상징 165
상형문자 189
상황적 기능 17
생리음성학 44
서기체 표기 206
서법 138, 147
서사법 221
서수사 89
서술격조사 85
서술부 104
서술어 106

서술절   118
선어말어미   244
설명 언어   173
설명법   148
설명의문문   125
설음   222
설측음화   55, 231
설형문자   189
성문유성마찰음   223
성문음   222
성문폐쇄음   224
성분 부사어   110
성분부사   101
성분분석   185
성상관형사   100
성상부사   101
성상형용사   94
성음법   210, 221
성절음   43, 56
수관형사   100
수사   89
수사와 수관형사   90
수식언   85, 100
수식합성어   84
순경음 ㅂ   225
순음   222
시간표현의 선어말어미   246
시적 기능   18
시적 심미기능   18
시제   138, 139
신라어   218

신성문자   189
신호언어   27
실질형태소   78
심리적 원인   184
심리적 의미론   173
심미적 기능   18
쌍이응   227
쌍히읗   226

》》》____ ㅇ
아음   222
안은 문장   116
알타이어족   212, 216
알타이제어의 공통 특질   214
암시적 의미   169
압존법   131
약속 평서문   123
약속법   148
양상   138
양수사   89
양순유성마찰음   225
양순음   52
양태   138
양태부사   102
어간   81
어간의 바뀜   98
어근   80
어기   79
어미   81
어족   211
어형계열적 장   186

어휘 부정 표현   159
어휘의미론   171
어휘적 기능   18
어휘적 사동문   152
어휘적 의미   170
어휘적 피동문   149
언어   166
언어기호   6
언어능력   34
언어사회   5
언어유전자   21
언어음   43
언어의 감염   183
언어의 계통   211
언어의 기능   11
언어의 여러 기능   13
언어의 전염   183
언어의 정의   1
언어의 중심 기능   11
언어적 방법   27
언어적 원인   183
언어적 인간   21
언어학적 의미론   172
언중의 공인   5
언중의 약속   3
언중의 협약   5
여린 히읗   224
역사적 원인   184
역사적의미론   172
연결형   97
연구개음   52

연상적 의미   169
연서법   209
연음 규칙   64
연철표기   193
예사소리   53
예정상   147
옛이응   222
오분석   238
완곡법   185
완곡표현   181
완료상   145
외연적 의미   168
욕구적 기능   15
용언   85, 93
용언의 관형사형   101
용이적   205
우랄 · 알타이어족   212
운문 표기   207
운소   47, 57
원순모음   49
원순모음화   51, 232
원시부여   29
원시부여어   216
원시한국어   29, 216
원시한어   29, 216
원칙법   148
월인천강지곡 한자음   198
위치의 총체   77
유성음   41
유음   53
유음동화   68

유음화 현상 237
유의어 175
유정명사 86
유추 237
융합합성어 84
음고 24
음성 40
음성기관 45
음성언어 1, 28
음성학 43
음소 47, 57
음소문자 190, 191
음소적 체계 200
음운 47, 221
음운 규칙 60, 229
음운론 43
음운적 조건 75
음운적 조건의 이형태 76
음절 56
음절문자 190, 191
음절의 종성 규칙 61
음향 1
음향음성학 44
응용언어학 38
'으' 탈락 97
의도법 148
의문문 125, 161
의미론 170
의미론의 개념 170
의미변화의 개념 182
의미변화의 원인 183

의미의 개념과 특성 164
의미의 삼부문 165
의미의 유형 166
의미의 특수화 184
의미의 확대 184
의미자질 185
의미장 186
의사소통의 수단 1
의성·의태부사 101
의존명사 86
의존형태소 78
'ㅣ'모음동화 230
이두체 표기 208
이론언어학 38
이어진 문장 119
이영보래 197
이중모음 48, 50
이중분절 10
이중성 10
이중언어 정책 30
이형태 75
이화 52, 233
인구어 214
인용 159
인용 표현 159
인용절 119
인지적 의미 169
인칭대명사 87
일반언어학 37
일반의미론 174
임신서기석명 206

⫸_____ ㅈ

자동사   93
자동적 교체   75
자립명사   86
자립형태소   78
자모문자   191
자음   52, 221
자음 어기의 경우   239
자음 축약   71
자음 충돌 회피   231
자음 탈락   71
자음·모음간 동화   60
자음동화   60, 66
자의성   2, 3
자질분석   185
재구   39
재귀대명사   88
저모음   49
저지음   42, 53
저품격 언어   31
전기중세국어   218
전설모음   48
전설모음화   50, 233
전성형   97
전이적 의미   167
전탁음   209
접두사   80
접두사에 의한 파생어   81
접미사   80
접미사에 의한 파생어   81
접사   79

접속부사   102
접속조사   91
정보적 기능   14
정서법   192
정서적 기능   14
정서적 의미   169
정서적 표현기능   14
정자법   192
정태의미론   172
제시어   103
조기분화설   213
조사   90
조선전기의 국어   219
조선후기의 국어   255
조음 방법   53
조음 위치   52
조음부   45, 46
조음음성학   44
조음점   46
조음체   46
종결형   96
종성   204
종성부용초성   192, 204
주변적 의미   167
주성분   104, 105
주어   105
주어부   104
주체높임법   130
중모음   49
중성   202
중세국어   218

중심적 의미　166
지령적 기능　15
지령적 욕구기능　15
지배족의 언어　217
지속음　42
지시　165
지시관형사　100
지시대명사　87, 89
지시물　164
지시부사　102
지시설　2
지시적 기능　14
지시적 정보기능　13
지시형용사　94
직설법　148
직접 인용　160
직접명령문　127
진행상　145
짧은 관형절　117
짧은 사동문　152
짧은 피동문　149

》》》＿＿＿ ㅊ
창조성　9
철자법　192
철학적 의미론　173
첨가　234
첨가어　215
청각영상　12, 165
청각인상　44
청소년언어　31

청유문　128
청유법　148
청취음성학　44
체계성　7
체계적　205
체언　85
초성　201
초월성　8
추측법　148
축약　71, 230
치음　222
치조음　52
친교적 기능　16
친교적 상황기능　16
칠종성법　193, 205

》》》＿＿＿ ㅌ
타동사　93
탈락　71, 230
통사적 사동문　154, 155
통사적 피동문　151
통사적 합성어　82
통시언어학　39
통시적 의미론　172
통합적 장　186

》》》＿＿＿ ㅍ
파롤　166
파생어　80
파생적 사동문　152, 155
파생적 피동문　149

파생접사 80
파열음 53
파찰음 53
판정의문문 125
팔종성법 193, 204
평서문 123, 161
평순모음 49
폐쇄음 53
표기상의 칠종성법 205
표어문자 190
표음문자 190
표음주의법 193
표의문자 190
표의주의 28
표현기능 14
품사 85
피동 149
피동법 149
피동사 149
피동접미사 249
피지배족의 언어 217
핀·우그리아어족 212

>>>_____ ㅎ
'ㅎ'의 발음 62
한국어 30
한국어의 계통 211
한국어의 분화 과정 213
한국어의 형성 216
한국어학 37
한글 표기 208

한글의 특성 205
한어계 언어 30
한자 차자표기 206
한자음 표기 196
한정적(부사성) 접두사 81
한족계 언어 216
함축적 의미 169
합성어 80, 82
합용병서 209, 228
향찰체 표기 207
허락명령문 127
허락법 148
현대국어 256
현실적 한자음 198
현재 시제 139, 246
형식의미론 171
형식형태소 78
형용사 94
형용사 파생 82
형태 74, 238
형태소 78
형태소 문자 190
형태음소론적 체계 200
형태적 조건 77
형태적 조건의 이형태 77
호모 로쿠엔스 22
혼철표기 195
홑문장 115
화자 의도의 선어말어미 249
확인법 148
확인의문문 126

환치법　176
활용　96
활용어간　239
회귀성　21
회상법　148
회화문자　189

후기중세국어　218
후설모음　48
후음　53, 222
훈민정음 예의　208
훈민정음의 제자원리　200

한국어학의 이해

1판1쇄 발행 2016년 2월 26일
1판2쇄 발행 2019년 3월 15일

지 은 이 박덕유
펴 낸 이 김진수
펴 낸 곳 **한국문화사**
등   록 1991년 11월 9일 제2-1276호
주   소 서울특별시 성동구 광나루로 130 서울숲 IT캐슬 1310호
전   화 02-464-7708
팩   스 02-499-0846
이 메 일 hkm7708@hanmail.net
홈페이지 www.hankookmunhwasa.co.kr

ISBN 978-89-6817-335-6 93710

이 도서의 국립중앙도서관 출판예정도서목록(CIP)은 서지정보유통지원시스템
홈페이지(http://seoji.nl.go.kr)와 국가자료공동목록시스템(http://www.nl.go.kr/kolisnet)에서
이용하실 수 있습니다.(CIP제어번호: CIP2016004608)

이 저서는 2015년도 인하대학교 교내학술연구비 지원에 의하여 발간되었음.